BASIC MASTER SERIES 533

はじめての iMovie
Mac/iPhone/iPad 対応

［著］斎賀和彦／氷川りそな

秀和システム

本書の使い方

- 本書では、初めてiMovieを使う方や、今までiMovieを使ってきた方を対象に、iMovieの基本的な操作方法から、動画編集に役立つ本格的な操作方法までのノウハウを理解しやすいように図解しています。
- iMovieの機能の中で、頻繁に使う機能はもれなく解説し、本書さえあればiMovieのすべてが使いこなせるようになります。特に便利な機能や効率アップに役立つ操作を豊富なコラムで解説していて、格段に理解力がアップできようになっています。

紙面の構成

SECTION　キーワード▶バックグラウンド/写真/Ken Burnsエフェクト

64 ムービーにオーディオを追加してみよう

プロジェクトにはサウンドトラック（→nページ参照）だけでなく、サウンドエフェクト（効果音）やビデオのオーディオ部分などさまざまな録音データを扱えます。また、アフレコ機能でクリップを見ながらナレーションなどをつけることもできます。

サウンドエフェクトを追加する

❶「追加」をタップ

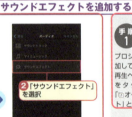

❷「サウンドエフェクト」を選択

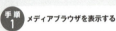

手順1 メディアブラウザを表示する

プロジェクトにサウンドエフェクトを追加してみましょう。まずnページを参考に再生ヘッドを移動させてから「＋（追加）」をタップし、メディアブラウザから「🎵オーディオ」>「⚙サウンドエフェクト」と選択します。

大きい図版で見やすい

手順を進めていく上で迷わないように、できるだけ大きな図版を掲載しています。また、図版の間には、矢印を掲載し次の手順が一目でわかります

丁寧な手順解説

図版だけの手順説明ではわかりにくいため、図版の右側に、丁寧な解説テキストを掲載し、図版とテキストが連動することで、より理解が深まるようになっています。逆引きとしても使えます。

❸「オーディオを追加」をタップ

❹サウンドエフェクトが追加された

手順2 サウンドエフェクトが追加される

すると、サウンドエフェクトのリストが表示されます。タップすると試聴再生が始まり、決定するときは「⊕（オーディオを追加）」をタップします。これでクリップの下に青色の「オーディオクリップ」として追加されました。

本書で学ぶための3ステップ

ステップ1：操作手順全体の流れを見る
本書は大きな図版を使用しており、ひと目で手順の流れがイメージできるようになっています

ステップ2：解説の通りにやってみる
本書は、知識ゼロからでも操作が覚えられるように、手順番号の通りに迷わず進めて行けます

ステップ3：逆引き事典として活用する
一通り操作手順を覚えたら、デスクの傍に置いて、やりたい操作を調べる時に活用できます。また、豊富なコラムが、レベルアップに大いに役立ちます

ビデオクリップからオーディオのみを追加する

❶「ビデオ」を選んで

❷ クリップを選んで「詳細設定」ボタンをタップ

手順1 ビデオクリップを表示する
ビデオはオーディオだけをプロジェクトに追加することもできます。先ほどの手順と同じようにメディアブラウザを表示したら「🎬ビデオ」から1つ選択し、表示されるメニューから「…（詳細設定）」をタップします。

❸「オーディオのみ」を選ぶ

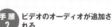
❹ オーディオ部分が追加された

手順2 ビデオのオーディオが追加される
すると「形式を指定して追加…」シートが表示されるので、リストから「オーディオのみ」を選びます。これで青色の「オーディオクリップ」として追加されました。

> 📖 **メモ アフレコを追加する**
> メディアブラウザにある「🎤アフレコ」を選ぶと、ビューアにツールが表示されその場で音声などを録音してオーディオクリップとして追加できます。詳しい操作についてはiMovieのマニュアル「iPhoneのiMovieでオーディオを録音する」を参照してください。

❶「アフレコ」を選ぶと

❷ ビューアにツールが表示される

豊富なコラムが役に立つ
手順を解説していく上で、補助的な解説や、時短が可能な操作、より高度な手順、注意すべき事項など、コラムにしています。コラムがあることで、理解が深まることは間違いありません

iOSでも「応用編」に挑戦

コラムの種類は全部で6種類

メモ 補助的な解説をしています。最低限知っておくべき事項などをシンプルに説明しています

便利技 これを知っておけば、役立つノウハウを中心に、多角的な内容の解説です

注意 ミスをしないためのポイントとなることや、勘違いしやすい注意点などを解説しています

裏技 意外と知らない操作方法や、一度覚えると使いこなしたくなる高度なテクニックの解説です

はじめに

　この何年かで、映像制作はぐっと身近なものになりました。iPhoneに代表される手軽で使いやすく高画質なスマートフォンの普及、交換レンズを使い分けることで印象的な描写を行う一眼カメラ。そしてパソコンの性能向上によって映像編集のハードルも大きく下がりました。

　映像編集ソフトは高性能になりましたが、そのぶん高度になってしまい、使いこなすのが難しくなったとも感じています。そんな人にはiMovieがうってつけです。

　iMovieはアップルのMac、iPad、iPhoneのすべてに最初からインストールされている無償の映像編集ソフトです。初心者用とイメージされることもありますが、普通のビデオ編集に求められる機能は、ほぼ備わっています。それでいて操作はシンプルでわかりやすいのが大きな特徴です。

　なによりもMac、iPad、iPhone、それぞれのバージョンがあり、基本的な操作の考え方が統一されているので、例えば旅行先ではiPhoneで撮影し、そのままiPhoneのiMovieでスピーディに編集してSNSに投稿する。また、旅行から帰ったらMacで続きを作業して本格的なロングバージョンを編集する。などという使い方が気軽にできます。

　その意味でも、iMovieは映像編集をはじめる最初の一歩として理想的なソフトなのかもしれません。

　まずはiMovieから始めて、楽しくて奥が深い映像制作に入門しましょう。

　　　　　　　　　　　　　　　　　　　2022年11月　斎賀和彦　氷川りそな

目次

本書の使い方 …………………………………………… 2
はじめに ………………………………………………… 4
完成動画ファイルの使い方 …………………………… 14

1章　こんなムービーがあなたにも作れる　　15

01 ● iMovieでできること …………………………… 16
ムービー作りを楽しもう！
iMovieでなにができるの？
iMovieを手に入れよう
どんなビデオ編集ができるの？

02 ● iMovieの編集作業を見てみよう ……………… 21
iMoiveの作業の流れ

2章　5分でわかるムービー作成　　23

03 ● iMovieの画面構成 ……………………………… 24
プロジェクト画面と編集画面
プロジェクト画面
編集画面
ツールバー
コンテンツライブラリ
サイドバー
ブラウザ
ビューア
タイムライン

04 ● iMovieの起動と保存、終了 …………………… 30
iMovieの起動方法
iMovieアイコンで起動する
Launchpadから起動する
Finderから起動する
データの保存について
iMovieの3つの終了方法

05 ● 5分でわかるiPhone版iMovie ………………… 34
「マジックムービー」モードで自動編集する
不要なクリップを削除する

　　　　ビューアで再生してみる
　　　　マジックムービーのカスタマイズ
　　　　ミュージック（BGM）の変更のしかた
　　　　タイトルを打ち直す
　　　　編集モードでタイトルを打ち直す
　　　　ムービーの書き出しと保存

06 ● 5分でわかるMac版iMovie ……………………………………… 47

　　　　新規プロジェクト（新しいムービー作品）を作成してみよう
　　　　クリップをつないでみよう
　　　　クリップ単位で（まるまる）追加する方法
　　　　クリップの一部分を追加する方法
　　　　クリップの長さを調節する方法
　　　　不要なクリップを削除する方法
　　　　クリップの順番（前後）を入れ替える
　　　　画面切り替え効果（エフェクト）：トランジション
　　　　クリップにタイトルをつける
　　　　ダミーのタイトルを入力し直す
　　　　完成したムービーの書き出し

3章　動画データを読み込むには　　　　　　　　　　59

07 ● 撮影した機器とMacを接続する ……………………………………… 60

　　　　機器とMacをつなぐ方法
　　　　メモリーカードを使ってMacとつなぐ方法
　　　　映像データの種類

08 ● カメラやiPhoneなどからMacに動画データを読み込む ……… 63

　　　　動画データを読み込む3つの方法
　　　　「読み込み元」によって操作手順が異なる
　　　　iPhoneから直接読み込む場合
　　　　カメラから読み込む場合
　　　　MacのHDD、SSDから読み込む場合
　　　　複数のクリップを読み込む場合
　　　　名前を変える
　　　　読み込み先の名前を変えるには
　　　　既存のイベントの名前を変更するには

09 ● 素材の分類・整理をする ……………………………………… 68

　　　　新しいイベントを作る
　　　　動画素材をイベント間で移動する

10 ● 画面を調整して使いやすくする（カスタマイズ）……………………71
- iMovieの主な画面構成
- フルスクリーンにする
- フルスクリーンを解除する
- サイドバーの使い方
- ブラウザの見え方を調整する
- クリップのサイズを調整する
- クリップの拡大／縮小を調整する
- オーディオの波形を表示する（チェックボックス）
- タイムラインの表示をカスタマイズする

4章　作例で学ぶ動画編集の基本　　81

11 ● 動画編集作業を始めよう………………………………………82
- 編集作業の進め方

12 ● 白紙（新規）のプロジェクト作成と保存………………………83
- 新規のプロジェクトを作る
- プロジェクトの保存

13 ● プロジェクト画面から新規プロジェクトを作成する……………85
- プロジェクト画面を切り替えるには
- 新規プロジェクトの作成
- プロジェクトをムービー設定にします

14 ● 読み込んだ素材を再生してみよう………………………………88
- スキミング再生
- ビューアでの再生操作
- クリップのサイズを変更する
- ブラウザに表示されるクリップの長さを調整する
- オーディオの波形を表示する

15 ● 編集作業を始めよう（編集の基本）〜範囲を選んで追加する〜………93
- クリップ単位で動画を追加する場合
- クリップをつまんでタイムラインへ追加する
- クリップの一部分の範囲だけを追加する
- キーボードショートカットによる範囲指定
- 範囲指定しながらクリップを選択する
- 範囲選択をキャンセルする
- 複数のクリップをまとめて追加する（選択順）
- 複数のクリップをまとめて追加する（エリアごと）

16 ● クリップの間に別のクリップを割り込ませる（挿入と接続）…… 100
タイムラインの途中でクリップを割り込ませる
クリップの上に別のクリップを重ねて載せる

17 ● タイムラインで使うクリップの長さを調整する（伸ばす・縮める）103
クリップの終わりを伸ばしたり縮めたりする
クリップの頭を伸ばしたり縮めたりする

18 ● クリップの削除、部分削除 …… 106
クリップをまるごと削除する
クリップの不要な部分を削除する（トリムで削除）
クリップの不要な部分を削除する（分割して削除）
残す部分を選択してそれ以外を削除
クリップの順番を入れ替える

19 ● マークを使ってクリップを見分ける …… 113
よく使う項目として設定する
ブラウザの表示内容を絞り込む

20 ● クリップとクリップの間の切り替え効果（トランジション）…… 115
クロスディゾルブを使ってみる
トランジションの長さ（継続時間）の変更
トランジションの削除
トランジションの詳細編集
iMovieのトランジションの種類
トランジションライブラリにあるもの

21 ● クリップの色や明るさを調整する …… 121
明るさや画質を調整する調整バー
自動補正で明るさを調整する
画質を手動で補正する
自動
マッチカラー
ホワイトバランス
スキントーンバランス
手動による色補正
サチュレーション
色温度

22 ● 画面の拡大・縮小と手ぶれ補正 …… 133
画面サイズの調整
フィット機能で調整する

サイズ調整してクロップ①
　　　サイズ調整してクロップ②
　　　Ken Burnsの機能で調整する
　　　手ぶれ補正の機能で調整する

23 ● 速度エフェクト：スローモーションほか ……………………… 140
　　　速度変更の基本
　　　遅く再生する場合（カメのアイコン表示）
　　　速く再生する場合（ウサギのアイコン表示）
　　　ある秒数だけ静止画を作る場合（フリーズフレーム）
　　　速度を途中で変化させる応用技（上級）

24 ● クリップにタイトルを挿入する ……………………………………… 145
　　　タイトルを作る
　　　タイトルを載せる範囲をコントロールする
　　　タイトル文字の書体や大きさ、色などを変更する
　　　タイトルの移動や延長、縮小をする
　　　タイトル一覧と作例
　　　タイトルプリセットの一覧

25 ● BGMや効果音をつける ………………………………………………… 156
　　　クリップにサウンドをつける
　　　BGMをつけよう
　　　ナレーションを録音する

26 ● オーディオ音響効果の調整をする …………………………………… 162
　　　ボリュームを調整する
　　　オーディオ間のバランスを調整する
　　　イコライザでオーディオの音質を調整する
　　　フェードイン / フェードアウト

27 ● クリップフィルタとオーディオエフェクト ………………………… 166
　　　映像用の特殊効果：クリップフィルタ
　　　クリップフィルタの適用例
　　　音響用の特殊効果：オーディオエフェクト
　　　オーディオエフェクトの適用例

28 ● テーマを使って映像作品の統一感を演出する ……………………… 170
　　　13種類のテーマと作例
　　　テーマを選んで映像作品らしくする
　　　スクラップブックのテーマで試してみよう
　　　オープニングタイトルの修正
　　　テーマ専用のトランジション（自動コンテンツ）

　　　　　フィルタエフェクトの設定
　　　　　そのほかの設定

　　29 ● 書き出し（共有）とYouTube……………………………………… 178
　　　　　共有
　　　　　メールに添付して送信する場合
　　　　　YoutubeおよびFacebook用の動画ファイルを作る
　　　　　現在のフレームを保存
　　　　　ファイルを書き出す
　　　　　YouTubeで動画公開する

　　30 ● 環境設定……………………………………………………………… 187
　　　　　環境設定する

5章　iMovieの編集をもっと便利に　　189

　　31 ● プロジェクトを共有してみよう ……………………………………… 190
　　　　　MacとiOSのiMovieは同じようで違う
　　　　　編集中のプロジェクトは共有できる

　　32 ● プロジェクトを送信するには ………………………………………… 192
　　　　　プロジェクトを準備する
　　　　　AirDropで直接共有する
　　　　　ファイルを保存して共有する

　　33 ● プロジェクトを読み込むには ………………………………………… 194
　　　　　AirDropで受信する
　　　　　プロジェクトを開く
　　　　　iMovieから読み込む

6章　iOSでもっと「かんたん」ムービー編集　　197

　　34 ● iPhoneやiPadでiMovieを使ってみよう …………………………… 198
　　　　　iOSのためのiMovieとは
　　　　　iMovieを使ってみる
　　　　　iMovieの終了

　　35 ● プロジェクトを管理してみよう ……………………………………… 200
　　　　　プロジェクトをプレビューする
　　　　　プロジェクトを開く/閉じる
　　　　　プロジェクトの名前を変更する
　　　　　プロジェクトを削除する

36 ● マジックムービーを使ってみよう……………………………204
  マジックムービーを使う

37 ● マジックムービーのクリップをアレンジしよう……………206
  クリップを並び替える
  クリップを追加する
  クリップを削除する
  クリップを置き換える
  クリップを複数選んで複製／削除する

38 ● マジックムービーのスタイルを変更しよう…………………210
  スタイルを変更する

39 ● マジックムービーのクリップを編集しよう…………………212
  クリップの長さを変更する
  分割ツールでトリミングする
  タイトルレイアウトを追加する
  タイトルテキストを編集する
  音量を調整する
  シネマティックモードを調節する
  再生速度を調整する

40 ● マジックムービーでショートムービーを作ろう……………216
  マジックムービーを使うヒントとコツ
  ムービーを作る

41 ● ストーリーボードを使ってみよう……………………………218
  ストーリーボードとは
  ストーリーボードを使う

42 ● ストーリーボードで撮影してみよう…………………………221
  iMovieからカメラを起動する
  撮影モードの機能
  カメラで収録する
  ライブラリから追加する

43 ● ストーリーボードを編集してみよう…………………………225
  プレースフォルダの並び替え
  プレースフォルダの追加

44 ● ストーリーボードで料理レシピムービーを作ろう…………227
  撮影計画を立てる

ストーリーボードのクリップを作る
　　　プロジェクトを整理する
　　　プロジェクトを仕上げる

7章　iMovieの応用テクニック　　233

45 ● 写真をiMovieで使ってみよう ……………………………… 234
　　　iMovieで写真で使うには
　　　写真をiMovieライブラリに読み込む

46 ● スライドショームービーを作ってみよう ……………………… 236
　　　タイムラインに写真を追加する
　　　Ken Burnsを編集する

47 ● ビデオ・オーバーレイを使ってみよう ……………………… 240
　　　カットアウェイクリップを追加する
　　　カットアウェイクリップの編集

48 ● ビデオ・オーバーレイを変更してみよう …………………… 242
　　　ビデオ・オーバーレイを変更する
　　　カットアウェイクリップの編集

49 ● 背景を使ってみよう ………………………………………… 244
　　　背景をブラウズする
　　　背景をタイムラインに追加する

50 ● タイトル付き背景を作ってみよう …………………………… 246
　　　背景とタイトルを組み合わせる

51 ● クリップと背景を組み合わせてみよう ……………………… 248
　　　クリップに背景を追加する

52 ● 地図を使ってみよう ………………………………………… 250
　　　背景とタイトルを組み合わせる
　　　旅行地図の位置を編集する

53 ● シネマティック・クリップを使ってみよう …………………… 252
　　　シネマティックモードとは
　　　被写界深度を調整する

54 ● シネマティックの焦点ポイントを編集しよう……………254
 シネマエディタを表示する
 焦点ポイントを変更する
 焦点ポイントを編集するヒントとコツ
 手動焦点ポイントを削除する

8章　iOSでも「応用編」に挑戦　　259

55 ● ムービーを使ってみよう……………………260
 プロジェクトを作成する

56 ● ムービーのタイムラインを再生しよう………………262
 ムービーを再生／停止する
 タイムラインをスクラブする
 タイムラインを拡大／縮小する

57 ● ムービーにビデオを追加してみよう……………………266
 ビデオクリップを追加する

58 ● ムービーのビデオクリップを編集してみよう…………268
 クリップを移動する
 クリップをトリミングする
 クリップを複数選ぶ・複製／削除する

59 ● ムービーにBGMを追加してみよう……………………272
 サウンドトラックを追加する

60 ● ムービーのクリップを調整してみよう………………274
 プロジェクト設定を変更する
 トランジションを調整する

61 ● ムービーにオーバーレイを追加してみよう……………278
 オーバーレイ・クリップを追加する
 オーバーレイを調整する

62 ● ムービーに写真や背景を追加してみよう………………280
 写真を追加する
 写真を調整する

63 ● ムービーにオーディオを追加してみよう………………282
 サウンドエフェクトを追加する
 ビデオクリップからオーディオのみを追加する

64 ● ムービーのオーディオを編集してみよう ・・・・・・・・・・・・・・・・・・・・・・・・・・284
　　　クリップの音量を調整する
　　　オーディオクリップの編集

　　　　　　　　用語索引 ・・ 286

完成動画ファイルの使い方

●パソコン・スマートフォン・タブレットからは下記のURLからサイトにアクセス
https://www.shuwasystem.co.jp/support/7980html/6802.html

手順❶　「はじめてのiMovie」サポートページが開きます
手順❷　完成動画ファイルをダウンロードします
手順❸　ダウンロードしたフォルダーは圧縮（zip）されていますので、アプリを使って解凍します
手順❹　解凍後は、完成動画ファイルを再生させて本書手順の結果を確認いただけます

（注意）
ダウンロードした動画データは、本書の内容確認、練習のためにだけ利用可能です。ダウンロードしたデータの利用、または利用したことで関連して生じる、データ及び利益についての被害、すなわち特殊なもの、付随的なもの、間接的なもの、および結果的に生じたいかなる種類の被害、損害に対しての責任は負いかねますのでご承知ください。また、ホームページの内容やデザインは、予告なく変更される場合があります。ダウンロードしたデータの複製や自分の作品の一部に使用したり、商用利用などのすべての二次的使用は固く禁じられています。

■本書の編集にあたり、下記のソフトウェアを使用しました
iMovie（Mac/iPhone/iPad）

■注意
(1) 本書は著者が独自に調査した結果を出版したものです。
(2) 本書は内容について万全を期して作成いたしましたが、万一、ご不備な点や誤り、記載漏れなどお気付きの点がありましたら、出版元まで書面にてご連絡ください。
(3) 本書の内容に関して運用した結果の影響については、上記 (2) 項にかかわらず責任を負いかねます。あらかじめご了承ください。
(4) 本書の全部、または一部について、出版元から文書による許諾を得ずに複製することは禁じられています。
(5) 本書で掲載されているサンプル画面は、手順解説することを主目的としたものです。よって、サンプル画面の内容は、編集部で作成したものであり、全て架空のものでありフィクションです。よって、実在する団体・個人および名称とはなんら関係がありません。
(6) 本書の無料特典はご購入者に向けたサービスのため、図書館などの貸し出しサービスをご利用されている場合は、無料の電子書籍や問い合わせはご利用いただけません。
(7) 本書籍の記載内容に関するお問い合わせやご質問などは、秀和システムサービスセンターにて受け付けておりますが、本書の奥付に記載された初版発行日から2年を経過した場合または掲載した製品やサービスの提供会社がサポートを終了した場合は、お答えいたしかねますので、予めご了承ください。
(8) 商標
　　iMovie、Mac、iPhone、iPadは米国Apple社の米国およびその他の国における登録商標または商標です。
　　その他、CPU、ソフト名、企業名、サービス名は一般に各メーカー・企業の商標または登録商標です。
　　なお、本文中ではTMおよび®マークは明記していません。
　　書籍の中では通称またはその他の名称で表記していることがあります。ご了承ください。

1章

こんなムービーがあなたにも作れる

この章では、iMovieを使って何ができるのか、どのような動画の楽しみ方ができるのか、また、どのような動画編集ができるのか、などについて簡単に説明をします。

SECTION

キーワード ▶ iMovie／ビデオ編集

01 iMovieでできること

iMovieを使えば、誰でもカンタンにムービー作りを楽しむことができます。撮影したままのビデオを視聴するのもよいのですが、すこしだけ手間をかけてあげると、魅力的なムービーに仕上がります。

ムービー作りを楽しもう！

いろいろなイベントがあるたびに、がんばって動画撮影をしていませんか？ でも、そのあとはどうしているのでしょうか？

・撮っただけで、お蔵入りにした
・一度、テレビにつないで視聴して、それっきり
・お気に入りの動画だけ編集しようと試みたけど、失敗した

もったいない話ですね。
iMovieのような動画編集のアプリケーションがあれば、すこしの手間だけで魅力的なムービーに仕上げることができます。初めは難しいことはできなくてもいいんです。
そうすれば、親や友人の多くの人たちにあなたのムービーを楽しんでもらうことができるようになります。少しずつ上達していって、みんなが「スゴイね！」「プロみたいだね！」と褒めてくれる日も近いことでしょう。

さあ、動画編集をはじめてみましょう。

iMovieでなにができるの？

iMovieはアップルから提供されているMacやiPhone/iPadで動作するビデオ編集用のアプリケーションソフトです。ビデオを読み込むだけで、すぐにビデオ編集の作業をすることができます。
また、ビデオカメラで撮影したビデオだけではなく、デジタルカメラやiPhone/iPadで撮影したビデオを読み込んでiMovieでビデオ編集することができます。

iMovieを使って編集をすると、テレビドラマや映画のようなカッコイイ場面展開にしたり、特殊な映像効果や音声をつけたりすることができるので、魅力的なムービーに仕上げることがカンタンにできます。

そうしてiMovieで作ったムービーは、MacやiPhone/iPad、Apple TVなどで視聴するだけでなく、インターネットのYouTubeなどの動画共有サイトに最適化したビデオ書き出しも可能なのでSNS共有も簡単です。

iMovieは初心者向けですが、けして低機能（低レベル）というわけではありません。プロ用ビデオ編集アプリケーション（例えば、Final Cut Pro）のノウハウが盛り込まれています。そのため、初心者向けに作られているiMovieの編集方法は、1つひとつの映像にこだわるよりも、むしろ映像作品として全体の流れをいかに楽しく作り上げるか、ということを考えながら取り組まれることをお勧めします。

● iMovieで充実した映像生活ができる!

● こんな経験ありませんか?

撮った映像を誰かに見せようとすると一苦労

一度見ただけで、整理されずにお蔵入り

編集をやってみたいけど難しそう

● iMovieがあると

テレビだけでなくパソコンやスマートフォンから場所を選ばず見れるように

映像の管理も簡単に

簡単操作で魅力的な映像作品のできあがり

遠く離れた家族や友人にも気軽に見てもらえるね

見たい映像がすぐに見れるようになるよ

カッコいい映像が簡単に作れるようになるぞ

1 こんなムービーがあなたにも作れる

iMovie を手に入れよう

最近の Mac や iPhone/iPad には既に iMovie が入っています。もしお手持ちの Mac や iPhone/iPad に iMovie が入っていないときは、インターネットに接続した状態にしてから、iMovie をダウンロードしてください。
次を読んでいただき、お手持ちの Mac や iPhone/iPad に iMovie を入れてください。

・iMovie は大きく分けて２種類あります

iMovie は、Mac 用の macOS 版、iPhone 用の iOS 版、iPad 版の iPadOS 版の３つがあります。iPhone 用や iPad 用の iMovie は画面サイズの違いによりインターフェイスが異なりますが、機能はほぼ同じなので、基本的には２種類あるといえます。

・Mac の場合

Mac 用の iMovie は Mac の中にあります。存在する場所は、Dock にある Launchpad をクリックすると、その中に iMovie があります。

このアイコンが目印

もし何かの事情で iMovie がない場合は、Mac App Store から無償でダウンロードできます。

Mac App Store から iMovie をダウンロードする

・iPhone/iPadの場合

iPhone/iPad用のiOS版のiMovieも標準搭載ですが、無い場合はApp Storeからダウンロードします。

App StoreからiMovieをダウンロードする

> どんなビデオ編集ができるの？

ここでは魅力的なムービー作りのためのiMovieの機能の一部をご紹介します。
iMovieには次のような編集機能があります。

・「テーマ」を選んでプロのようなムービー作品に仕上げる

ムービー作品のひな形となる13種類のテンプレート集の「テーマ」が提供されています。
このテンプレートには、テーマごとのイメージで場面展開、画面を説明する字幕やテロップが作られています。
その中から1つを選んでビデオ編集を進めることができます。もちろん、テーマを選ばずに自分自身でムービーを作り上げることもできます。

・特殊効果を使ってカッコイイ画面展開にする

トランジションという特殊効果を使うとテレビドラマや映画のようなカッコイイ画面展開にすることができます。
トランジションの数はかなり多いのですが、どのような動きをするかは、マウスポインタをトランジションの上に置くとトランジションが動くので、動作を確認することができます。

・映像や音の特殊効果をつけてムービーの印象を変える

エフェクトには、ビデオ全体の色あいを変更する「ビデオエフェクト」や、音声に効果をほどこす「オーディオエフェクト」があります。選ぶだけで簡単に特殊効果をつけることができます。

・家族や友人たちが視聴できるようにする

家族や友人達が視聴できるようにするには、YouTubeやそのほかのさまざまなインターネットの動画共有サイトや、クラウドサービスでファイルを共有したりすることで、視聴ができるようにしましょう。
もちろん、プライベートなムービーの場合は、他人が視聴できないように設定することができるので安心です。

● iMovieの主な機能

● テーマを使って簡単に編集

用意されているテンプレートを使えば簡単に高品質のムービーが作れます。それぞれに場面展開も付いているので、映像素材さえあれば、ドラマのような映像も作れます。

テーマの数は13種類

● 豊富な画面展開

場面と場面を繋ぐ時に様々な効果をつけることができます。

くるくるまわったり　　ページがめくられたり　　じんわり暗くなったり　　丸く閉じたりできます。

● 映像や音に特殊な効果をつけられる

セピア調にしたり　　がーん、ショック！

エコーなど、音声にも効果が付けられます。

● いつでもどこでも視聴できる

Youtubeなどの動画サイトやFacebookなどのSNSに投稿して家族や友人と共有するファイルも書き出せます。

SECTION キーワード▶Wordの画面

02 iMovieの編集作業を見てみよう

iMovieをはじめとするビデオ編集には、お約束とでも言うべき流れがあります。
料理を作るとき、材料の準備、下ごしらえ、調理、味付け、盛りつけ、といった流れがあるように、一見すると面倒なビデオ編集も、流れに沿って1つひとつおこなえば、意外と簡単なのです。

iMovieの作業の流れ

iMovieの編集作業の流れを見ていきましょう。

手順1 素材の読み込み

iMovieに素材を読み込みます。iMovieはビデオカメラ、デジカメ、iPhoneなどで撮影したビデオなどの幅広い動画形式、さらに写真等の静止画を扱うことができ、ビデオや写真を混在させて編集することができます。

手順2 使用するビデオや写真などの素材を選ぶ

編集を始める前に、たくさんあるビデオや写真などの中から使う素材を選んでいきます。ここで選んだ素材をつないで編集していきます。つないだ後でも自在に調整できるので、おおよその見当でOKです。

手順3 編集（素材をつなぐ）

使う素材を並べていきます。素材と素材の間に割り込ませたり、素材の上に重ねるといったつなぎ方も可能です。

↓

↓

↓

↓

手順 4　素材の調整

つないだ素材の順番を入れ替えたり、削除、追加したり、もちろん、長さの調節もおこないます。

手順 5　効果・演出 その1

素材と素材の間の切り替わりに付ける効果を、トランジションエフェクトといい、映像のつなぎ目によく利用されています。

手順 6　効果・演出 その2

ビデオや写真などの素材の見た目を変化（エフェクト）させることができます。色を補正したり、モノクロやセピアにしたり、部分を拡大したり、ぼかしたり、といった各種のエフェクトがあります。

手順 7　タイトルとBGMを付ける

タイトル文字を入れたり、BGMを付けることも簡単です。著作権フリーで使えるBGMや効果音が付属しているのも特徴です。

手順 8　ムービーの作成

完成したムービーはファイルに書き出してパソコンで再生可能な形式に変換したり、YouTubeやSNSに最適なビデオ書き出しもできるので、インターネットへのアップロードも簡単です。

2章

5分でわかるムービー作成

全部の機能を理解するまえに、iMovieの基本的な使い方だけ、ざっと覚えましょう。全体像をわかったうえで、個々の操作をマスターしましょう。

SECTION

キーワード▶プロジェクト画面／編集画面

03 iMovieの画面構成

iMovieは本格的なビデオ編集ソフトの中ではシンプルで使いやすいインターフェイスが特徴ですが、はじめてだと複雑に見えるかも知れません。

ここではiMovieの画面の意味と機能を説明します。詳細な解説は後述しますが、画面のどこに、どのような機能があるかをザックリと理解しておきましょう。

プロジェクト画面と編集画面

iMovieには、プロジェクト画面と編集画面の2つの画面があります。最初は戸惑うかも知れませんが、それぞれの画面の役割を知れば、逆にわかりやすいインターフェイスであることが理解できると思います。

プロジェクト画面

iMovieで編集した（もしくは編集中の）作品をストックしておく画面です。iMovieでは1本の作品をプロジェクトと呼びます。

いずれかのプロジェクトをクリックすると、そのプロジェクトがタイムラインにロードされた編集画面になり、プロジェクト画面の上部にある「メディア｜プロジェクト」切り替えボタンの「メディア」をクリックすると、タイムラインを持たないメディア画面になります。

プロジェクト画面

編集画面

メディア画面

編集画面

ビデオ編集のすべての作業を行う画面です。プロジェクト画面で選んだ作品（プロジェクト）が自動的にタイムラインにロードされ、すぐ編集作業に入れます。
メディア画面の左上部に、「プロジェクト」ボタンがあり、クリックするとプロジェクト画面に戻ります。

編集画面は6つのエリアに分かれています。それぞれ機能が集約されているので「エリアごとに作業を行う」と考えるとわかりやすいでしょう。

● 編集画面の構成

	呼び方	機能
1	ツールバー	編集のはじまり（プロジェクト画面に戻る）と終わり（共有）に使います
2	コンテンツライブラリ	編集中の動画やBGM、タイトルやエフェクトのライブラリ（保存場所）を切り替えるために使います
3	サイドバー	イベントに分類・整理された動画や編集中の動画、Macの写真ライブラリにアクセスします
4	ブラウザ	読み込まれた動画クリップをはじめ、コンテンツライブラリで選択されたタイトル、エフェクトが一覧表示されます
5	ビューア	ブラウザもしくはタイムラインで操作中のビデオを表示／再生します
6	タイムライン	編集中の作品の全体像や個々のクリップの長さ、タイトルなどの掛かり具合を視覚的に表示します。同時に追加や削除、調整などもここで行います

ツールバー

ツールバーは、素材の読み込みやムービーの作成、書き出しをおこないます。

①	プロジェクトに戻る	プロジェクト画面に切り替えます
②	メディアライブラリを表示/非表示	サイドバーとブラウザをオフにします。ビューアが大きく表示されるため、タイムライン編集に便利です
③	読み込む	動画をはじめ、各種の素材を読み込むときに使います (63ページ)
④	共有	完成したムービーを用途に応じたフォーマットで書き出すときに使います (178ページ)

コンテンツライブラリ

コンテンツライブラリは、タイトルやトランジションのプリセット（あらかじめ用意されている設定値や組み合わせのこと）、音楽などのライブラリ（ミュージックアプリやサウンドエフェクト、GrageBand）にアクセスすることができます。詳細な説明はあとで行います。

①	マイメディア	iMovieに読み込んだメディアクリップをブラウザに表示します
②	オーディオとビデオ	Macのミュージックアプリ、Apple TVアプリに格納されているライブラリに直接アクセスします。また、iMovieに付属するサウンドエフェクト（効果音など）にアクセスします
③	タイトル	画面に表示するタイトルテンプレートをブラウザに表示します
④	背景	編集時に自由に使える背景画（壁紙）をブラウザに表示します
⑤	トランジション	場面転換に使う画面の切り替えエフェクトプリセットをブラウザに表示します。

サイドバー

サイドバーは、素材の管理や分類を行います。プロジェクトメディア🅐とライブラリ🅑の2つに分かれます。プロジェクトメディア（🅐）は、編集中の作品に使用しているメディアクリップ（素材）のみをブラウザに表示します。また、ライブラリ（🅑）は、Macの写真ライブラリやiMovieのライブラリを選択することによって、そのライブラリの中をブラウザに表示します。

●プロジェクトメディア🅐

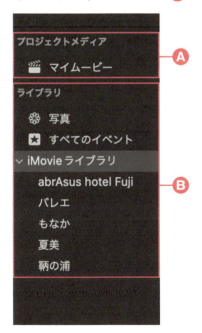

●ライブラリ🅑

①	写真	Macの写真アプリに直接繋がる項目です。写真アプリを立ち上げることなく写真ライブラリにアクセスでき、中に格納されている写真をそのままiMovieで使うことができます。
②	すべてのイベント	素材を分類したイベントをそれぞれ1コマとして表示する項目。表紙のように見えるサムネイル写真は初期値ではイベント内の最初のクリップですが、サムネイル上でポインタを滑らせると中にあるクリップが次々表示され、中身を把握可能です。
③	iMovieライブラリ	コンテンツライブラリの④のそれぞれのイベントは、すべてiMovieライブラリの中にあります。そのためiMovieライブラリを選ぶと、ブラウザにはすべてのクリップが表示されます。
④	各イベント	それぞれのイベントを選択すると、そのイベントに格納されたクリップがブラウザに表示されます。

ブラウザ

ブラウザはコンテンツライブラリに連動して、選択されたライブラリの内容を表示します。コンテンツライブラリには、①マイメディア、②オーディオとビデオ、③タイトル、④背景、⑤トランジションなどがあります。

ブラウザは「何かを選ぶ」作業を行うところです。編集したい映像のクリップを選び出したり、トランジションなどの特殊効果（エフェクト）の種類を選び出したり、クリップに付ける文字の種類を選び出したり、BGMを付けるためにお気に入り楽曲をiTunesから選び出したり、と様々な素材を選び出す画面になります。

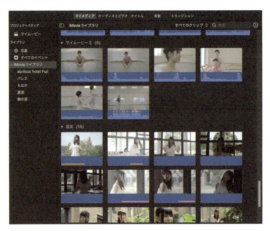

ビューア

ビューアは編集中のクリップを表示、再生する場所です。ビューアの主たる機能は再生を行ってクリップの状態をみることです。

そのため、マウスポインタが置かれているところが、ブラウザであればそこにあるクリップやトランジションエフェクトなどの状態を表示します。また、マウスポインタがタイムラインのクリップに置かれているのであれば、そのクリップを表示します。その上部「調整バー」には主にクリップに対するエフェクトボタンが並んでいます（121ページ）。下部には主に再生に関するボタンがあります。

❶ アフレコ録音　❷ 前のクリップへ　❸ 再生　❹ 次のクリップへ　❺ フルスクリーン

①	アフレコを録音（マウスポインタがタイムライン上にあるとき）
②	前のクリップとの境界線に移動（キーボードショートカット：▲）
③	再生（キーボードショートカット：スペースバー）
④	次のクリップとの境界線に移動（キーボードショートカット：▼）
⑤	フルスクリーンで再生（キーボードショートカット：shift+command+F）

2〜5のショートカットを覚えておくととても便利です

タイムライン

①	ビデオクリップ	ビデオ素材です
②	トランジションアイコン	クリップ間の切り替え特殊効果です
③	オーディオクリップ	コンテンツライブラリから読み込んだBGMや効果音です
④	タイトルクリップ	クリップの中に表示するテキストです
⑤	タイムラインの拡大/縮小スライダー	タイムラインで表示する大きさを自由に変更できます

SECTION　キーワード▶起動／保存／終了

04 iMovieの起動と保存、終了

ほかのアプリケーションと同じように、iMovieにも3つの起動方法があります。そして最も特徴的なことは、iMovieには保存コマンドがありません。ここでは、一連の起動〜保存〜終了について解説します。

iMovieの起動方法

iMovieの起動方法は3種類あります。どれも画面下にあるDockから行います。キーボードショートカットでDockを使わずに起動する方法もあります。

●3種類の起動方法

1	iMovieアイコンで起動する	DockのiMovieアイコンをクリックしてダイレクトにiMovieを起動します
2	Launchpadから起動する	DockのLaunchpadアイコンをクリック（キーボードのファンクションキーF4でもOK）してLaunchpadウインドウを開きます。そのMacにインストールされたアプリケーションが一覧表示されるので（アプリが多い場合は2ページ以上になる場合もあります）、その中にあるiMovieアイコンをクリックします
3	Finderから起動する	DockのFinderアイコンをクリック（キーボードショートカット　command+NでもOK）して新規Finderウインドウを開きます。サイドバーからアプリケーションを選択し、その中にあるiMovieアイコンをダブルクリックします

iMovieアイコンで起動する

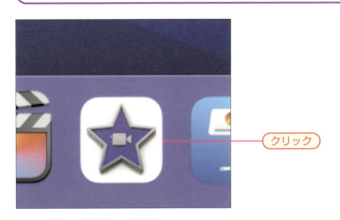

クリック

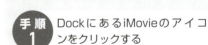

手順1　DockにあるiMovieのアイコンをクリックする

メモ　iMovieのアイコンがDockにない場合

以下のWebサイトの手順を見てDockに登録してください。

https://support.apple.com/ja-jp/guide/mac-help/mh35859/mac

Launchpadから起動する

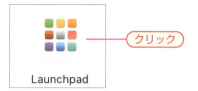

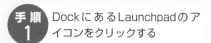
手順1　DockにあるLaunchpadのアイコンをクリックする

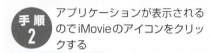
手順2　アプリケーションが表示されるのでiMovieのアイコンをクリックする

Finderから起動する

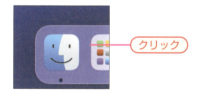

手順1　DockにあるFinderアイコンをクリックする

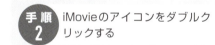
手順2　iMovieのアイコンをダブルクリックする

iMovieの初回起動時やバージョンアップ後の起動時に、図のような画面が表示されることがあります。「続ける」をクリックすると通常画面になりますが、新しく追加された機能も確認しておきましょう。

データの保存について

次の図を見てみるとわかるように、iMovieにはほかのアプリにある「保存」コマンド（command+S）がありません。iMovieは作業中でも常にデータを自動保存する仕組みになっているため、ユーザーが保存を意識する必要がありません。

iMovieの3つの終了方法

終了にも3つの方法があります。

●メニューバーから終了させる

メニューバーの「iMovie」をクリックするとメニューが表示されるので、「終了」をクリックします。
（キーボードショートカット：Command + Q）

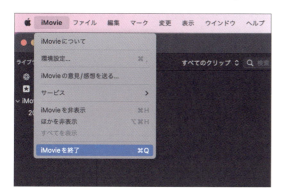

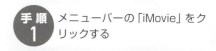
手順1　メニューバーの「iMovie」をクリックする

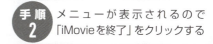
手順2　メニューが表示されるので「iMovieを終了」をクリックする

●Dockから終了させる

Dockにある iMovieのアイコンをクリックするとメニューが表示されるので「終了」をクリックします。

手順1　Dockにある iMovieのアイコンをクリックする

手順2　メニューが表示されるので「終了」をクリックする

●iMovieの画面から終了させる

iMovieの画面の左上にある赤いボタンをクリックします。
ただ、この●はiMovieではアプリケーションの終了ですが、他のMacアプリではアプリは起動したまま書類だけ閉じるボタンの場合が多いので、この方法を覚えるのはお薦めしません。

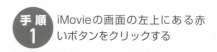
手順1　iMovieの画面の左上にある赤いボタンをクリックする

SECTION

キーワード▶iPhone／マジックムービー／半自動編集

05 5分でわかるiPhone版iMovie

iPhoneのiMovie（iOS版iMovie）には、使いたい映像を選ぶだけで半自動的に映像編集を行ってくれる「マジックムービー」というモードがあります。たんにムービークリップをつなぐだけではなく、動画の見所を抜き出して、用意されているBGMに合わせてテンポも調整してくれるというお手軽＆カッコイイ機能です。

「マジックムービー」モードで自動編集する

ここではiPhoneで撮影した動画を、そのままiMovie（iOS版iMovie）の「マジックムービー」のモードで自動編集したあと、BGMの音楽を選び直すなど、自分好みに編集（修正）する方法を、たった5分で試せるように紹介します。
まずは、iPhoneのiMovie（iOS版iMovie）を立ち上げます。

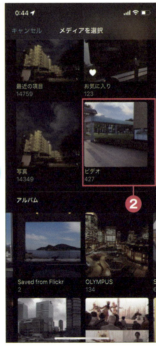

手順1 **マジックムービーを選択する**

新規プロジェクトを開始➡マジックムービーをタップします。

手順2 **編集するビデオを選択する**

「メディアを選択」画面から「ビデオ」をタップすると、そのiPhoneで撮影した動画一覧にアクセスします（整理されたアルバムにアクセスすることもできます）。

 手順3 マジックムービーを作成する

動画一覧から使いたいクリップにチェックマークをつけ、最後に「マジックムービーを作成」をタップします。あとから追加も削除もできるので、アバウトな選択でOKです。

 手順4 ムービーを作成中なので待つ

iMovieが自動編集を行う間、少し待ちます。

 手順5 できたマジックムービーを編集する

マジックムービーができあがると、このような画面になります。ここでは入れ忘れたクリップを追加してみましょう。
画面左下にある「＋追加」をタップします。

 手順6 追加する素材を選択する

「＋追加」をタップすると、図のようなダイアログが現れるので「ライブラリから選択」をタップします。

2 5分でわかるムービー作成

35

手順 7　写真ライブラリから選択する

iPhoneの写真ライブラリが開くので追加したいクリップをタップします。先ほどと違って、写真、動画が混在していることに注意してください。また、先ほどと異なり、複数クリップを選択はできません。1クリップのみの追加になります。複数クリップを追加したいときは、「＋追加」の作業を繰り返してください

手順 8　選択した素材が追加された

クリップが追加されました。このクリップはiPhoneを縦にして撮影した動画なので、縦長の動画クリップです。縦動画はこのように上下がカットされ、左右にボケ余白が追加されます

手順 9　クリップを並び替える

クリップの順番を並べ替える場合は、移動させたいクリップを指で長押しします。すると、少し小さくなって動かせるようになるので、そのまま指でドラッグ＆ドロップして移動できます。

不要なクリップを削除する

今度は、間違えて入れてしまった不要なクリップを削除しましょう。

 画面右下の「選択」をタップする

全クリップが右側に少しずれて、クリップの左に○チェックサークルが表示されます。

 不要なクリップをタップして選択したあと、削除をタップする

 不要なクリップが削除された

これで不要なクリップの削除ができました。

ビューアで再生してみる

ここで、できあがったものを再生してみましょう。画面の上部にあるものがビューアです。

手順1 再生ボタン▶をタップする

ビューアの左下にある再生ボタン（▶）をタップすると、ビューアで再生されます。ビューア右下の「」をタップすると、ビューアが全画面に拡大されて再生されます。

手順2 再生して確認したら進みます

これでOKならば、次の項目は読み飛ばして「ムービーの書き出しと保存（45ページ）」へ進んでください。自分好みに調整したい場合は次の項目へ進みます。

マジックムービーのカスタマイズ

ここでは、マジックムービーで作った内容をカスタマイズする手順を説明します。次のような内容をカスタマイズで反映できます。

・スタイルの変更
・BGMの変更
・タイトルの変更
・フィルターをかける

手順1 カスタマイズする

マジックムービーを自分好みに調整するには画面右上にある「🗐」をタップします。

手順2 スタイルを選択する

「スタイル」画面に切り替わります。スタイルは21種類のパターンがあり、それぞれ、BGMやタイトルが異なります。

手順3 スタイルを決定する

ここではチャームを選んでみました。

手順4 チャームオプションを選択する

それぞれのスタイルにプリセットされた要素は、画面下部のスタイルオプションからカスタマイズできます。

オプション	機能
①ミュージック	iMovieで用意されているサウンドトラックのほかに、マイミュージックやファイルなどから選ぶことができます
②カラー	タイトル文字のカラーを選択できます
③フィルタ	動画クリップの全体のトーン（画調）を選択できます
④フォント	タイトル文字の書体を選択できます

①ミュージック

②カラー

③フィルタ

④フォント

ミュージック（BGM）の変更のしかた

 手順1 オプション項目の選択

ミュージックをタップします。

 手順2 曲の変更

サウンドトラックに現在設定されている曲名（iMovie付属）が表示されているので、そこをタップします。

 手順3 候補曲の表示

サウンドトラックの曲一覧が表示されます。

 手順4 試聴する

曲名をタップすると音楽が再生されます。

 手順5 曲を決定

新しい曲を選んで曲名の右側にある＋をタップします。

5分でわかるムービー作成

 変更を確定した

サウンドトラックの曲が変更されます。

タイトルを打ち直す

マジックムービーの初期状態で自動的に付いてきたタイトルを変更しましょう。

 編集クリップを選択

クリップをタップして選択すると「✐」鉛筆マークがでるので、そのマークをタップします。

 編集をタップ

図のようなダイアログが現れるので「クリップを編集」をタップします。

 編集モードに切り替わる

編集モードに切り替わります（編集モードについては次項で詳しく解説します）。

編集モードでタイトルを打ち直す

 タイトルをタップ

画面下にある編集アイコンから「タイトル」をタップすると、タイトルレイアウト画面が表示されます。
レイアウト一覧から使いたいパターンを選び、タップすると適用されます。
OKならタイトルレイアウト右側にある×ボタンでタイトルレイアウトを閉じて確定します。

手順2 **テキストをタップ**

同様に画面下にある編集アイコンから「テキスト」をタップすると、ソフトキーボード画面が表示されます。

手順3 **タイトルを変更**

タイトル文字を「みんなで撮影」に変更します。タイトルを打ち換え、OKならソフトキーボードの右側にある完了で確定します。

ムービーの書き出しと保存

 編集の確定

編集が終わったら、画面左上の「完了」をタップします。

 共有の準備

プロジェクト画面になります。画面下部の共有ボタンをタップします。

 共有画面

AirDropやメッセージなどで直接送る場合は相手をタップします。ここではムービーを書き出すので手順4へ進みます。

 共有画面をスライド

共有画面を上方向にスライドさせて、共有の選択肢を表示します。

 ビデオを保存

共有の選択肢から「ビデオを保存」をタップします。

 書き出しの完了

ムービー書き出したあと、写真ライブラリに保存されます。

SECTION

キーワード ▶ Mac／ムービー編集

06 5分でわかるMac版iMoive

Mac版iMovieは、Macを買うとすでにインストールされていて、バージョンアップも無料という標準アプリですが、編集機能は充分な機能性を持ち、サクサクと動く操作性と相まって、Macらしい映像編集ソフトになっています。
ここでは細かな説明は割愛して基本操作を覚えつつ、ひととおりの編集ができるようになる5分間レッスンを行います。

新規プロジェクト（新しいムービー作品）を作成してみよう

iMovieを起動すると、メディア画面（このページ）もしくはプロジェクト画面（次のページ）になっています。どちらの画面からも新しいムービー作品を作成できます。
なお、すでに本稿では動画素材を読み込んだ状態から解説します。動画の読み込み方については、63ページを参照してください。

●メディア画面から始める場合

 手順1　新規ムービーの作成

ファイルメニュー➡新規ムービーを選びます。

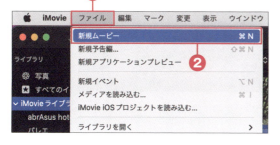

 便利技　ショートカット

新規ムービー作成　command+N

47

●プロジェクト画面からはじめる場合

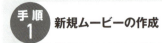 **新規ムービーの作成**

新規作成のボタンをクリックします。

 ムービーを選択

ムービー/予告篇の選択肢が表示されるのでムービーを選びます。

 動画を読み込むには

動画の読み込み方については、63ページを参照してください。

次の画面が編集を始める前の「白紙のムービー」状態です（タイムラインに何もありません）。前述したように、ここでは動画素材を読み込んだ状態から解説を始めます。

ブラウザには、すでに読み込まれたクリップが並び、ビューアにはブラウザ上のマウスポインタがあるところの映像が大きく表示されています。ここで試しに、ポインタをブラウザ上の別のクリップの上に移動させてみましょう。ビューアに表示される映像が変わります。

クリップをつないでみよう

サイドバーの「iMovieライブラリ」からイベントを1つ選択すると、そのイベントに含まれるクリップのみがブラウザに表示され、目的のクリップを探しやすくなります。
クリップをつなぐ（タイムラインに追加する）とき、1個のクリップをまるまるすべて追加する方法と、クリップの一部分を追加する方法があります。

メモ イベントってなに？

イベントの詳細については68ページを参照してください。

クリップ単位で（まるまる）追加する方法

追加したいクリップをクリックすると、そのクリップが黄色い枠で囲まれます。そのときクリップ上に2つのデータが表示されます。

左上の数字	そのクリップ全体の秒数（継続時間）
右下の＋	タイムラインに追加するボタン

 クリップを選ぶ

追加したいクリップをクリックします。

 タイムラインに追加

＋ボタンをクリックすると、クリップ全体がタイムラインに追加されます。

 別のクリップを選ぶには

違うクリップを選び直したいときは（キャンセル操作は不要です）、そのまま別のクリップをクリックすれば、黄色い枠が移動します。

クリップの一部分を追加する方法

動画クリップの一部分を追加したいときもあります。何分もノーカットで撮影した動画は使いたい部分だけつなぎたいですよね。

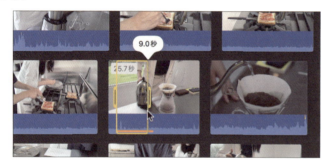

 部分的に選ぶ

クリップを選び、Rキーを押したまま、マウスをドラッグ（マウスを押したまま動かす）すると、その範囲が選択され、黄色い枠が（その範囲のみに）つけられます。

 秒数を気にしながら選ぶ

ドラッグ中は黄色い枠の上部に「現在選んでいる秒数（継続時間）が吹き出しのように表示され、ドラッグを止める（マウスボタンから指をはなす）と吹き出しが消えて、代わりに黄色い枠の内側に＋ボタン（タイムラインに追加ボタン）が表示されます。

手順3 どんどん繋いでいこう

＋ボタンをクリックすると「選択範囲の動画」がタイムラインに追加されます。2個目以降の追加は、すでに並べたタイムラインの末尾に自動的に追加されます。クリップのすべて、あるいは一部を追加するなどを繰り返してクリップをタイムラインに並べていきます。

便利技 操作のポイント

ブラウザの動画クリップサムネイル上でマウスポインタを滑らせると、それに連動してビューアの中の映像も動くので（スキミング）それを見ながら選ぶのがコツです。

便利技 一番最後にクリップを追加したい

＋ボタンの代わりにキーボードのＥキーを押すことでもタイムラインの一番うしろ（END）に追加することができます。

クリップの長さを調節する方法

iMovie最大の特長ともいえるのが、クリップの長さを伸ばしたり、縮めたりする調整がとても簡単だということです。クリップをタイムラインに追加したら、さっそくやってみましょう。

手順1 境界線に近づける

タイムライン上にある、長さを調整したいクリップの端にマウスポインタを近づけると、ポインタのカタチが←｜→に変わります。

手順 2 長さ調整モードに

その状態でマウスボタンを押すとクリップの端に白い縦線が付きます。

クリップの頭を選んで（白線をつけて）いるときの操作

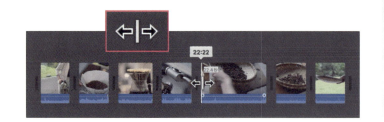

クリップの先頭を伸ばす	マウスを左←｜に動かす
クリップの先頭を縮める	マウスを左｜→に動かす

 手順 3 長さ（秒数）を自由に調整

縦線が付いた状態でマウスを左右に動かすと、クリップの端が伸び縮みします。

クリップの終わりを選んで（白線をつけて）いるとき

クリップの終わりを縮める	マウスを左←｜に動かす
クリップの終わりを伸ばす	マウスを左｜→に動かす

※マウスを動かしている間、新しい継続時間が表示されます

不要なクリップを削除する方法

 手順 1 クリップを選ぶ

削除したいクリップを選択します。

 削除を選ぶ

そのクリップ上で右クリック➡現れるメニューから「削除」を選択します。

便利技 クリップを削除する

削除したいクリップを選択してdeleteキーを押します。

クリップの順番（前後）を入れ替える

クリップの長さの調整と同様に、クリップの順番を入れ替えることも簡単にできます。

 クリップを選ぶ

移動したいクリップをマウスでつかみます。

 クリップを持ち上げる（リフト）

つかんだままクリップを持ち上げます。

 すき間が閉じる

充分に持ち上がるとクリップがあった場所が詰まって隙間がなくなります。

 手順4 入れたい場所に移動する

移動中のクリップを入れたい場所(クリップの境界)に向かって降ろします。

 手順5 すき間ができる

クリップの境界に(移動中のクリップと同じ長さの)空間ができます。

 手順6 入れ替えが完了する

その空間にクリップを置きます(マウスから指をはなす)

画面切り替え効果(エフェクト):トランジション

iMovieには動画を魅力的に見せる様々なエフェクトが用意されています。クリップの色を変えたり、スピードを変えてスローモーションにしたり、印象的なモーションタイトルをつけたりといった、特殊効果が満載です。

トランジションとは画面の切り替えエフェクトのことです。テレビなどでよく見かけるのが、画面がじわじわと次の画面に切り替わる「ディゾルブ」でしょう。ここでは「ディゾルブ」を例に操作してみます。

詳しくは第4章(115ページ)で解説するとして、ここではトランジション(画面の切り替え)とタイトル作成について基本をマスターしましょう。

 手順1 トランジションに切り替える

ブラウザ画面上部のコンテンツライブラリからトランジションを選びます。

 手順2 トランジション一覧

ブラウザ画面がトランジション一覧に切り替わります。

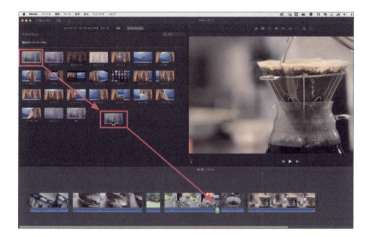

 手順3 ドラッグ&ドロップで適用

「クロスディゾルブ」をつかんで(選択して)ドラッグして、タイムライン上の画面切換を行いたいクリップとクリップの間(境界線)につかんだまま持って行き、ドロップ(はなす)します。

 手順4 トランジション完成

境界線にトランジションのアイコンがつき、ビューアではディゾルブが反映されます

 メモ 応用は？

他のトランジションや、トランジションの長さを変える方法は、117ページを参照してください。

2 5分でわかるムービー作成

クリップにタイトルをつける

 手順1 タイトルに切り替える

ブラウザ画面上部のコンテンツライブラリからタイトルを選びます。

 手順2 一覧から選ぶ

ブラウザ画面がタイトル一覧に切り替わります。

 手順3 ドラッグして置きたい場所へ

「表示」をつかんで（選択し）ドラッグしてタイムライン上のタイトルをつけたいクリップの上に持っていきます。

 手順4 **ドロップで適用**

アイコンの形が長方形の吹き出しのような形に変わり、＋マークが付くのでクリップ上にドロップします。

 手順5 **ダミータイトルが載った**

クリップの上にタイトルが「載る」形になります。その際、ビューアにはダミーテキスト（仮のタイトル）が表示されます。タイトル部分は自由に長さを伸ばしたり、位置を変えることが可能です（詳細は150ページ）。

ダミーのタイトルを入力し直す

ダミーのテキストを入力し直すことで、オリジナルのタイトルを作成します。

 手順1 **ダブルクリックしてテキスト編集**

クリップ上のタイトル部分をダブルクリックします。ダミーテキストが選択され、入力（打ち直し）可能になります。

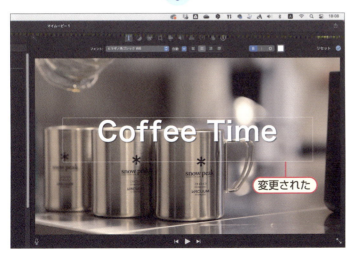

 手順2 **文字入力**

文字を入力し直します。書体やサイズ、色などの変更ができます。

完成したムービーの書き出し

完成したムービーをファイルとして書き出してみましょう。クラウド上には用途や目的に応じた共有設定ができますが、ここではスタンダードなファイルの書き出しを行います。

手順1　共有方法を選ぶ

ビューアの右上にある「□」共有ボタンをクリックします。

手順2　ファイルを書き出す場合

共有選択肢のメニューが表示されるので「ファイルを書き出す」を選択します。

手順3　タイトル設定して書き出し

タイトル、解像度などを必要に応じて変更します（通常はそのままでOK）。「次へ」をクリックして保存場所を指定します。

3章

動画データを読み込むには

かつては動画編集ソフトの素材はビデオカメラのみだったのですが、いまではビデオカメラよりもスマートフォンやミラーレスカメラの方が多くなっています。そして、これらは方式が違うため、動画の読み込み方もそれぞれ少しづつ異なります。
ここでは、カメラごとの読み込み方法と、読み込んだ素材の整理、画面の見え方のカスタマイズなどについて説明します。

SECTION キーワード ▶ 接続／動画データ／読み込み

07 撮影した機器とMacを接続する

ここでは素材を読み込むために、撮影した機器とMacをつなぐ方法を説明します。つなぎ方は大きく分けて2つあります。1つめはUSBケーブルを使ってMacとつなぐ方法、2つめはビデオカメラなどから取り出したメモリーカードを使う方法です。

機器とMacをつなぐ方法

撮影機器がiPhoneやiPadの場合は、AirDropで転送する方法もあります。また本章ではMacのiMovieで編集を行うための解説を行っていますが、iPhone、iPadで動画撮影を行った場合、そのままiPhone、iPad上のiMovieで編集することも可能です。その作業手順については63ページを参照してください。
ビデオカメラなどの撮影した機器と、Macとをケーブルで接続してつなぐ方法です。多くの機器はUSBで接続しますが、同じUSBでも端子の形が異なることがあるため注意が必要です。
機器のどこに端子があるのか、端子の種類が何かは、添付されているマニュアルで確認してください。また、撮影した機器によっては、カメラ付属の専用ケーブルが用意されていることがありますので同梱品を確認するようにしてください。

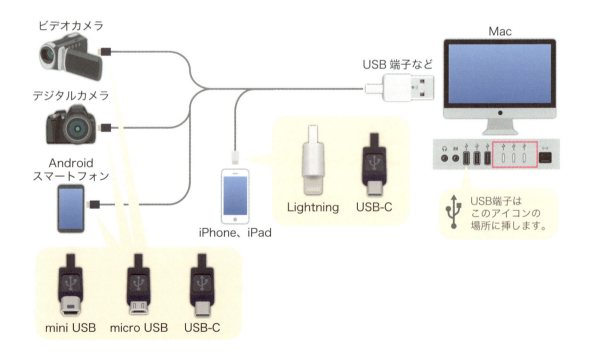

メモリーカードを使ってMacとつなぐ方法

素材を保存しているメモリーカードを機器の本体から取り出して、カードリーダーに挿入して素材を取り出す方法です。
メモリーカードがSDカードで、かつMac本体にSDカードを挿入するスロットがある場合には、直接、Mac本体にSDカードを挿入できます。
MacにSDカードスロットがなかったり、機器が使用しているメモリーカードがSDカード以外の場合は、まずMacにカードリーダーを取り付けてから、メモリカードをカードリーダーへ挿入してください。

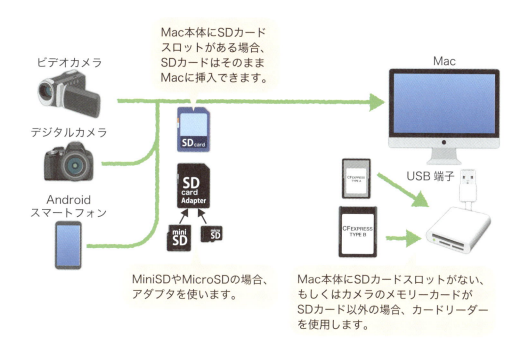

機器とMacを接続するとき

機器とMacを接続するとき、機器をハードディスクのような外付けの記憶装置として切り換え（USBマスストレージクラスモードへの切り換え）することが必要な場合があります。そのため、パソコンとの接続に関する注意事項を機器のマニュアルでご確認ください。
解決できない場合は、機器本体からメモリーカードを取り出して、「メモリーカードを使ってMacとつなぐ方法」を試してください。

映像データの種類

撮影された映像データを以下の３つに分けて簡単に説明します。

・スマートフォンの映像データ（mov/mp4）

最近はスマートフォンでも質の高い映像を撮影できるようになってきました。こうした動画もビデオカメラで撮影したものと同様にiMovieに読み込みましょう。iPhoneやAndroidで扱う映像データはデジタルカメラと同様の「.mov」や「.mp4」の拡張子を持つ形式で保存されます。最新型ではHEVCの採用も始まっています。

・デジタルカメラの映像データ（mov/mp4）

コンパクトなデジタルカメラ、キヤノンやニコンの一眼レフカメラ、ミラーレスカメラなどの動画方式は「.mov」や「.mp4」の拡張子をもつ形式で保存されます。このデータはSDカードやCFexpressカードなどに保存されるのが一般的です。ただし、ソニーやパナソニックの一眼レフカメラはこの形式でなく、AVCHD方式で保存されます。また、一部のプロ機種で選択できる動画RAWデータはiMovieでは編集できません。

・ビデオカメラの映像データ（AVCHD）

ビデオカメラのうち、「AVCHD」という動画方式でハイビジョンの映像素材をメモリーカードに保存するものがあります。AVCHDはAdvanced Video Codec High Definitionの略称で、読み方はエービイシーエイチディーとなります。このデータは現在主流であるSDメモリーカードや、そのほかのメモリーカードに保存されます。

SECTION キーワード ▶ 動画データ／読み込み

08 カメラやiPhoneなどからMacに動画データを読み込む

カメラやiPhoneから動画をiMovieに読み込む方法を説明します。iPhoneやカメラを事前にMacと接続（64ページ）するか、もしくはそれらの動画データをMacのHDD（ハードディスク）やSSDにコピーしておく必要があります。

動画データを読み込む3つの方法

画面中央の「メディア」「プロジェクト」切り替えボタンが、メディアになっていることを確認します（プロジェクトになっていたら、メディアボタンをクリックします）。

動画データの読み込みを行うには、3つの操作のどれかを行います。

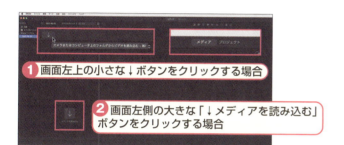

❶ 画面左上の小さな↓ボタンをクリックする場合

❷ 画面左側の大きな「↓メディアを読み込む」ボタンをクリックする場合

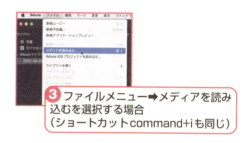

❸ ファイルメニュー➡メディアを読み込むを選択する場合（ショートカットcommand+iも同じ）

以上のいずれかの操作で「読み込む」ウインドウが開きます。

「読み込み元」によって操作手順が異なる

読み込み元がiPhoneやカメラ、Macにコピー済みのデータ、によって多少異なりますが、基本的な操作手順は同じです。以下で動画データの読み込みについて説明します。

①iPhoneから直接読み込む
②カメラから読み込む
③MacのHDD、SSDから読み込む

iPhoneから直接読み込む場合

事前準備： 前ページで説明した↓ボタンをクリックする前に、iPhoneをMacに接続しておきます。

 iPhoneを選択する

読み込むウインドウ左側最上段、「カメラ」の下にiPhone（名前は個々に付けたもの）が表示されます。

 動画が一覧表示される

iPhoneの名前をクリックすると、iPhoneに保存されているビデオが表示されます。各クリップの左上に表示されているのは、それぞれの長さ（秒数）になります。

 ビデオを選ぶ

読み込みたいビデオクリップを選ぶ（クリックする）と黄色い枠で囲まれます。複数のクリップを読み込みたい場合はcommandキーを押しながらクリックします。

 読み込む

読み込むウインドウの右下にある「選択した項目を読み込む」ボタンをクリックします。

手順5 読み込み完了

選んだクリップが読み込まれます。

カメラから読み込む場合

事前準備： 前々ページで説明した↓ボタンをクリックする前にカメラをMacに接続しておきます。

カメラは、iPhoneと同様に、読み込むウインドウ左側最上段、「カメラ」の下に表示されます。

MacのHDD、SSDから読み込む場合

事前準備： 事前にデータをMacのHDD（ハードディスク）やSSDにコピーした上で、その中のどのフォルダに置いたかを確認しておきます。

HDDやSSDあるいはカードリーダー経由でつないだSDカードなどは、読み込むウインドウの左側にあるデバイスの下に表示されます。

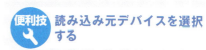

便利技 読み込み元デバイスを選択する

カメラとして表示された場合、クリップのサムネイルが表示され、デバイスとして表示された場合はクリップがリストとして表示されます。リストの場合、選択したクリップのみが上段に表示されます。

複数のクリップを読み込む場合

iPhone などのカメラと同様に、複数のクリップを読み込みたい場合は command キーを押しながらクリックすると複数選択が可能です。また、リスト表示では、メディア継続時間（長さ）やコンテンツの作成日などでソート（並べ替え）も可能です。

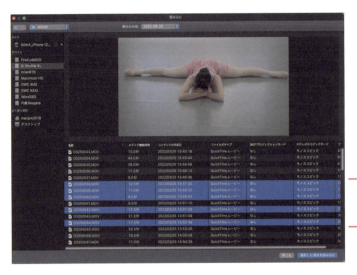

Command キーを押しながらクリックして選択する

名前を変える

読み込みウインドウ上部にある「読み込み先」は初期状態では、iMovie で作業した日付になっています。この名前を変えることで読む込むクリップを、それぞれの固まり（iMovie では「イベント」と呼びますが、パソコンでよく使うフォルダのようなものと考えるとよいと思います）にまとめることができるので便利です。

読み込み先の名前を変えるには

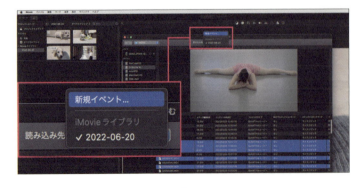

手順 1　新規イベントを作成する

読み込み先の日付部分をクリックし、ポップアップするメニューから「新規イベント」を選択します。

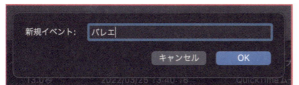

 イベント名を入力する

新規イベントの名前を付ける（ここではバレエとしました）。

 イベントに読み込まれる

その状態で読み込むと、左側のiMovieライブラリに「バレエ」というイベントが作成され、読み込んだクリップはすべてその中に入ります。

既存のイベントの名前を変更するには

 イベント名を選択する

すでにあるイベントの名前部分をクリックします。

 新しい名前を入力する

このようにして、動画を内容別や撮影日別に整理して読み込むことができます。

SECTION キーワード ▶ 素材／イベント

09 素材の分類・整理をする

前項では動画の読み込み時にイベント分けする方法を説明しました。本項ではまとめて読み込み、いろいろなシーンが混ざった状態から素材を分類、新しいイベントを作成して整理する方法を説明します。

新しいイベントを作る

動画の読み込み時（63ページ）に、撮影内容でイベントを分けることをしなかった場合、1つのイベントにいろいろなシーンが混じってしまいます。下図の例では、もなか（犬の名前）のイベントに、旅行のときに撮った動画が入ってしまっています。
そこで旅行素材用の新しいイベントを作成し、旅行先の動画クリップをそちらに移す手順を説明します。
ここではサイドバーにあるイベント（ここではバレエともなか）の下、なにもない所で次の操作を行います。

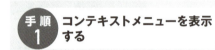 **手順1　コンテキストメニューを表示する**

Controlキーを押したままクリック（もしくはマウスで右クリック）します。

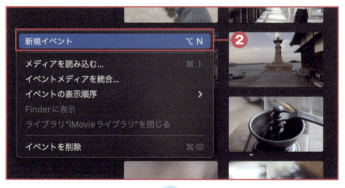

 **手順2　新規イベントを作成する**

コンテキストメニューが開くので「新規イベント」を選択します。

 手順3 **新規イベントが作成される**

新規イベントが作成されます（名前の初期値は作業日の日付）。

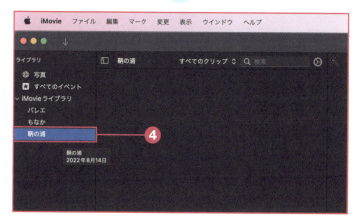

 手順4 **イベントに名前をつける**

イベントの名前をクリックして、入力し直します（ここでは旅行先にあわせて「鞆の浦」と入力）。

動画素材をイベント間で移動する

 手順1 **クリップを選択する**

移動させたい動画クリップがあるイベント（ここではもなか）を選択し、その中の移動させたい動画クリップを選択します（動画はCommandキーを押しながら1つひとつ選択したり、マウスでドラッグしてまとめて選ぶこともできる）。

手順2 移動先へドラッグ&ドロップする

選択した動画クリップをドラッグし、移動させたいイベント（ここでは鞆の浦）の上でドロップ（はなす）します。

選択したクリップを「鞆の浦」へドロップ

 手順3 クリップの移動が完了する

動画クリップが移動しました。この作業を繰り返し、動画クリップを整理します。

SECTION

10 画面を調整して使いやすくする（カスタマイズ）

キーワード ▶ 画面構成／フルスクリーン／サイドバー／ブラウザ／タイムライン

iMovieの画面（インターフェイス）は、表示スタイルやスケールをかなり自由にカスタマイズできます。編集内容に合わせて、あるいは自分好みの使いやすい画面表示を設定しましょう。

iMovieの主な画面構成

iMovieの主な画面は次の項目で構成されています。

	画面構成	機能
①	サイドバー	イベントやライブラリを表示する
②	ブラウザ	映像クリップや素材を表示する
③	ビューア	編集中の映像を大きく表示する
④	タイムライン	編集の構成を視覚的に表示する

71

・サイドバー

サイドバーは編集最中には使わないことも多いので、表示をオフにして（隠して）ブラウザを広く使うこともできます。

・ブラウザ

映像クリップや素材を表示します。ブラウザの左上にある「■」アイコンをクリックするごとに、サイドバーのオン（表示）／オフ（非表示）を切り替えることができます。

・ビューアとタイムライン

また、ビューアとタイムラインの境界にポインタ（マウスカーソル）を近づけると、ポインタの形が「✥」に変わります。その状態で境界線を掴んで上下に動かすと、タイムライン表示エリアの高さを変えることができます。

フルスクリーンにする

iMovieの画面がMacの画面いっぱいになっていないときがあります。そのまま使ってもよいのですが、せっかくなのでMacの画面いっぱい（フルスクリーン）に拡大する方法を覚えましょう。

手順1　緑のボタンをクリックする

iMovie画面の左上にある3つのカラーボタンから、緑のボタンにポインタを合わせると、画面表示の選択肢のメニューが表示されます。このうち、「フルスクリーンにする」を選びます。

 画面いっぱいに表示される

iMovieのインターフェイス画面をMacのディスプレイ画面いっぱいに最大化して表示します。最上段のメニューバーも非表示になることに注意してください。

フルスクリーンを解除する

 左上にポインタを移動する

フルスクリーンを解除する場合は、iMovieの画面の左上にあった3つのボタンまでポインタを移動させます。

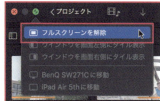

 「フルスクリーンを解除」をクリックする

すると表示されるメニューから「フルスクリーンを解除」をクリックします。

 現在の状態をキャンセルするには

通常の画面に戻すときは、キーボードのescキーを押します。

 表示ディスプレイを移動する（サイドカー）

もう1つディスプレイ、もしくはiPadをSidecar接続している場合に表示されます。セカンドディスプレイかiPadを接続中に選択すると、iMovieの画面がそちらのディスプレイに移動します。

サイドバーの使い方

サイドバーはブラウザの表示をコントロールします。ちょっとしたコツを覚えておくと切換を簡単にできて、操作性が向上します。

●写真

Macの写真アプリに直接つながる項目です。写真Appを立ち上げることなく、写真ライブラリにアクセスし、中に格納されている写真をそのままiMovieで使うことができます。

●すべてのイベント

素材を分類したイベントをそれぞれ1コマとして表示する項目です。表紙のように見えるサムネイル写真は、初期値ではイベント内の最初のクリップですが、サムネイル上でポインタを滑らせると中にあるクリップが次々と表示され、おおよその中身を把握することができます。

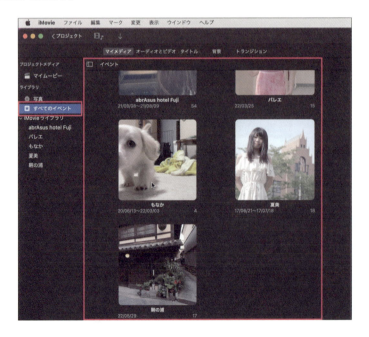

● 各イベント
それぞれのイベントを選択すると、ブラウザにそのイベントに格納されたクリップが表示されます。クリップの大きさや時間軸の変更は、次のページで説明します。

● iMovie ライブラリ
各イベントはすべて iMovie ライブラリの中にあります。そのため、iMovie ライブラリを選ぶとブラウザにはすべてのクリップが表示されます。

ブラウザの見え方を調整する

ブラウザは素材となるクリップが並ぶところです。ここから使う動画を探すため、1コマ1コマを大きく見たい一方で、1コマの表示が大きいとたくさんのクリップを見るのには向いていません。自分が使いやすいバランスを探るのも、快適な作業のコツです。

ブラウザの見せ方を調整するには、ブラウザの右上にある「⚙」アイコンをクリックします。

ここでは3点の設定ができます。
・クリップのサイズ
・(クリップの) 拡大/縮小
・オーディオ　波形表示　ON(表示)/OFF(非表示)

クリップのサイズを調整する

クリップのサイズのスライダーは、クリップサムネイルの大きさをコントロールします。

・クリップサイズを小さくする場合
クリップのサイズ：スライダーを左に寄せる

クリップサムネイルが小さくなり、1つひとつの内容はわかりにくくなるものの、多くの素材を一覧でわかりやすくなります。

・クリップサイズを大きくする場合

クリップのサイズ：スライダーを右に寄せる

クリップサムネイルが大きくなって、なにが映っているかわかりやすくなります。

クリップの拡大 / 縮小を調整する

拡大 / 縮小のスライダーは、動画クリップの時間の長さをコントロールします。

・動画クリップを小さく表示する場合

拡大 / 縮小のスライダー：左に寄せる

いちばん左（すべて）状態のとき、動画クリップの継続時間によらず（5秒の動画でも10分の動画でも）すべてのクリップは1コマで表示されます。素材の全体像を把握するのに有効です。

・動画クリップを大きく表示する場合

拡大 / 縮小のスライダー：右に寄せる

スライダーを右に寄せるほど、クリップの継続時間に応じてコマが長く（連続して）表示されます。クリップの中の動きや要素を探すときに便利です。

オーディオの波形を表示する（チェックボックス）

表示をオンにすると、クリップに音声波形が表示されます。波形で音の強弱が見えるので、しゃべり出しや列車の発車ベルなどのタイミングを見つけやすくなります。

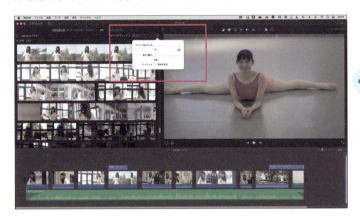

タイムラインの表示をカスタマイズする

タイムラインは動画編集に欠かせない表示エリアです。作品を構成する動画や音楽、タイトルといった要素を視覚的にわかりやすく表示します。しかし、編集中に全体像を見ながら作業したいときや、細かな部分にこだわって作業したいときなど、作業に応じたタイムラインの表示を調整しなければなりませんが、これといった決まりはありません。ケースバイケースで自分の使いやすい見え方に調整しましょう。
そこで、ここではタイムラインの表示をカスタマイズする方法を説明します。

・タイムラインの縮尺をコントロールする

タイムラインウインドウの右上にあるスライダーはタイムラインの縮尺をコントロールします。

・プロジェクト全体を見やすくする（スライダー左寄せ）

スライダーを左方向に寄せると、タイムラインは圧縮され、プロジェクト全体が把握しやすくなります。一方、縮小しすぎると1つひとつのクリップの内容がわかりにくくなるので、注意が必要です。

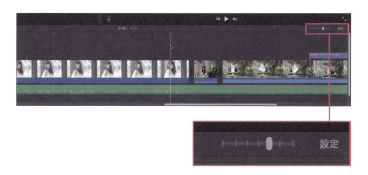

・クリップの内容を確認しやすくする（スライダー右寄せ）

スライダーを右方向に寄せると、タイムラインは拡張され、クリップの長さや、その中の動きまで細かく把握できます。拡大表示しているときはタイムラインの下に棒状の操作バーが表示され、そのバーを左右にドラッグすることでタイムラインの見えている部分を自由に動かすことができます。一方、拡大しすぎるとクリップなどの内容がわかりにくくなるので、注意が必要です。

・プロジェクト設定でプロジェクトの基本設定を確認する

スライダーの横にある「設定」をクリックするとプロジェクト設定ウインドウが表示されます。
その中でもクリップのサイズとオーディオについてここでは説明します（ほかについては後述）。

・クリップのサイズのスライダー
スライダーを左方向に寄せるとクリップが小さくなり、右方向に寄せるとクリップが大きくなります。さきほど説明したタイムラインにあるスライダーとの違いは、タイムラインのスライダーはクリップの継続時間を拡大縮小する操作であり、設定ウインドウのスライダーはすべてのクリップの表示サイズを拡大・縮小する操作である点です。

・オーディオ
「波形を表示」のチェックボックスはブラウザにあるものと同じです。ブラウザではクリップのオーディオ波形のオン／オフですが、ここではクリップのオーディオだけでなく、加えたBGMの波形のオン／オフも同時に行われます。

波形表示がオフになったBGMは細いグリーンの線になります。

4章

作例で学ぶ動画編集の基本

この章では実際の編集を作例としながら、動画を繋ぎ、タイミングを調整したり、エフェクトを掛けたり、文字を入れたりといった手順を解説します。順番に読まなくても、知りたい部分から拾い読みでも、大丈夫な構成にしています。

SECTION

キーワード ▶ 編集作業

11 動画編集作業を始めよう

素材の準備ができました。これから編集作業を進めていきます。
もし、まだ動画クリップの読み込みをしていない場合は、SECTION08（63ページ）に戻って動画クリップの読み込みをしておきましょう。

編集作業の進め方

次の順番で編集作業を進めて行きます。

iMovieをはじめとするノンリニア編集ソフトは、❶〜⓬の作業を自由に行き来をして、やりやすいところから好きに作業ができる自由度の高さが大きな特徴です。
ここではベーシックに、上記の順番に沿って解説していきましょう。もちろん、ランダムに読み進めていっても大丈夫です。

編集を始める最初のステップは、新規のプロジェクトを作ることですが、新規プロジェクトの作成は、①「メディア画面から作る」方法と、②「プロジェクト画面から作る」方法の2通りがあります。
まずは、「メディア画面から作る」方法を紹介します。

1. 白紙のプロジェクト（作品）を準備する
2. 素材を見直して、使うクリップを選ぶ
3. 順番につなぐ
4. クリップの長さを調整する
5. クリップの並び順を入れ替える
6. 要らないクリップを削除する
7. 場面転換にエフェクトを使う
8. クリップを補正／加工する
9. タイトルをつける
10. 現場音を調整する／ノイズを減らす
11. BGMや効果音をつける
12. 動画を書き出す

SECTION キーワード▶プロジェクト

12 白紙（新規）のプロジェクト作成と保存

まず最初に白紙のプロジェクト（作品）を準備しましょう。例えばワープロソフトなどでは、新しい文章を書くときに、なにも書かれていない白紙の用紙を新規作成しますよね？ それと同じように映像編集でも同様に、なにもない白紙状態（動画の場合はなにもない＝黒）のムービーファイルを作ります。そのファイルをiMovieでは「プロジェクト」と呼びます。

新規のプロジェクトを作る

プロジェクトとは、動画や音楽、タイトル文字などを「1つのデータのカタマリ」として扱い、編集／保存することのできるファイルのことになります。
それでは、SECTION09の動画クリップを読み込んだメディア画面から始めていきましょう。まだ動画を読み込んでいない場合は、SECTION08（63ページ）に戻って動画を準備してください。

 編集の準備

ファイルメニューから新規ムービーを選びます。

 ショートカット

新規ムービー作成　Command + N

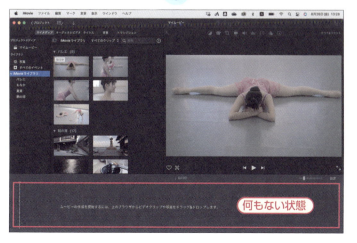

 白紙のプロジェクトができた

編集画面が起動します。この段階では、まだ編集を始めていないので、タイムラインはブランクです。これを「白紙のプロジェクト」と呼びましょう。

プロジェクトの保存

iMovieには、ほかのアプリでよくある「保存」コマンドがありません。なぜならiMovieは作業をしている途中でも常にデータを自動保存する仕組みになっているからです。ユーザーが保存する作業を意識する必要がありません。
ここで行う作業はプロジェクトに名前をつけることを主たる目的としています。

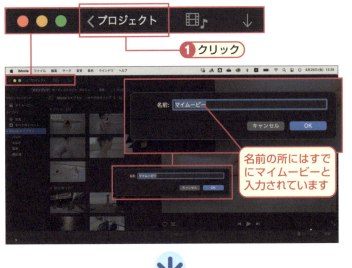

 名付けの準備

編集画面の左上にある「＜プロジェクト」ボタンは、プロジェクト（画面）に戻るためのボタンです。これをクリックすると、名前をつけるためのダイアログが現れます。

 プロジェクトに名前を付ける

前述のようにデフォルト（初期状態）は「マイムービー」になっています。このままでもいいのですが、ここでは作品用にモデルのバレリーナの名前から「Mana」と打ち、OKボタンをクリックしました。

 プロジェクトが保存された

OKボタンを押すと、プロジェクト画面に切り替わり、そこにManaという四角いボタンができています。
まだ動画を1つもつないでいないので、ボタンの中はグレーですが、動画をつないでいると、ここには動画のサムネイルが表示されます。
プロジェクト画面については次項で解説します。

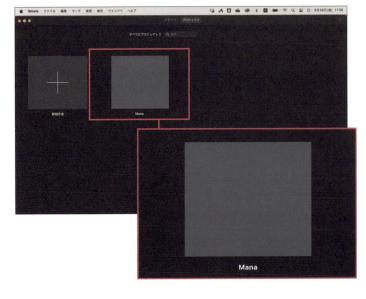

SECTION

キーワード▶プロジェクト画面

13 プロジェクト画面から新規プロジェクトを作成する

iMovieには、プロジェクトを1画面で管理し、編集への移行やファイルの共有（書き出し）を行うプロジェクト画面があります。前項で述べたようにプロジェクトは、動画や音楽、タイトル文字などを「1つのデータのカタマリ」として扱い、編集したり、保存したりすることができるファイルです。それを一括管理するプロジェクト画面の使い方をここでは覚えましょう。

プロジェクト画面を切り替えるには

編集画面からプロジェクト画面に切り替えるには、2つの方法があります。

・方法1：編集画面左上「＜プロジェクト」をクリックする

・方法2：ウインドウメニュー➡プロジェクトへ移動を選択する

このどちらかの操作でプロジェクト画面に切り替えることができます。

新規プロジェクトの作成

画面の中央に＋マークのあるグレーのボタンありますが、これが新規プロジェクト作成用のボタンになります。
そのほかのサムネイル付きの四角いボタンが、それぞれ過去に保存されたプロジェクトです。

各プロジェクトをダブルクリックすると、そのプロジェクトがタイムラインにロードされ、編集画面が開きます。

プロジェクトをムービー設定にします

 ムービーに設定する

新規プロジェクト作成用のボタンをクリックすると、「ムービー」「予告篇」の選択肢が表示されます。
ここではムービーをクリックします。

 ムービープロジェクトが準備された

ムービーをクリックすると白紙のプロジェクトが開きます。
※ブラウザやビューアには左のサイドバーの情報が表示されている。

プロジェクトの詳細を確認できるメニューを表示する

プロジェクト画面で、どれか1つのプロジェクトにポインタを近づけると、プロジェクト名の隣にある（…）マークと、その下にプロジェクトの継続秒数と作成日が現れます。

この（…）マークをクリックすると、ムービー再生の他、プロジェクトを開いたり、複製、あるいは削除するメニューが表示されます。
プロジェクトを目的に応じたフォーマットで共有する（書き出す）「プロジェクトを共有」については190ページで解説します。

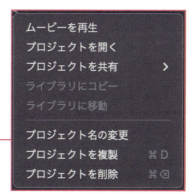

SECTION　キーワード▶スキミング再生

14 読み込んだ素材を再生してみよう

読み込んだ素材を見直して、使うクリップとして選ぶことから編集作業は始まります。そのため、スムーズな再生や素早い内容チェックなどの再生するための操作とそれを快適に行う表示設定について覚えましょう。

スキミング再生

マウスポインタをブラウザのクリップの上で左右に動かしてみてください。右側のビューアで、そのクリップがマウスポインタの動きに連動して動くのがわかると思います。これをスキミング再生といいます。
動画クリップの中身をざっと確認したり、長い動画の一部を探したりするときに使うスピーディな高速再生機能です。

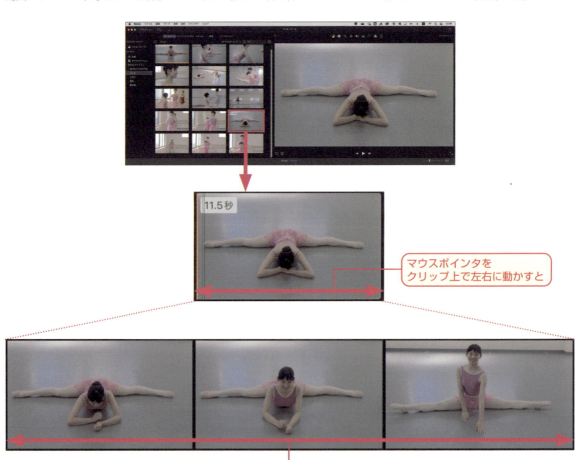

ビューアでの再生操作

ビューアでの再生は、ボタンまたはキーボードショートカットで行います。

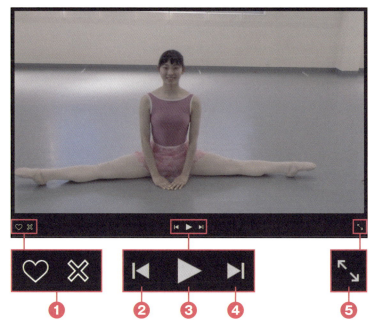

アイコン	機能
❶ ♡ ✕	クリップにマーキングするボタン（113ページで説明）。
❷ ▏◀	クリップの頭（開始点）に移動するボタン。もう一度押すと、1つ前のクリップの頭（開始点）に移動する
❸ ▶	再生ボタン。1倍速（標準速度）で再生する。再生中は ❚❚ 停止ボタンになる
❹ ▶▏	次のクリップの頭（開始点）に移動するボタン
❺ ↖↘	フルスクリーンで再生するボタン

これらの操作は、キーボードを使ったショートカットでの操作がスピーディで快適です。

❶ スペースバー	再生する。押すと再生、再生中に押すと停止する
❷ ◀	コマを戻す
❸ ▲	クリップの頭（開始点）に移動する。もう一度押すと、1つ前のクリップの頭（開始点）に移動する
❹ ▼	次のクリップの頭（開始点）に移動する
❺ ▶	コマ送りする

 **ショートカット**

フルスクリーン再生　command + shift + F

 フルスクリーン解除

フルスクリーン中もキーボードショートカットは有効です。フルスクリーンを解除するにはescキーを押します。

クリップのサイズを変更する

ブラウザに表示されるクリップのサイズを変更することができます。

 歯車アイコンで変更モードに

ブラウザの右上、歯車アイコンをクリックします。

 サイズスライダーで操作

「クリップのサイズ」スライダーを左右に操作します。

● スライダーを左方向に操作する

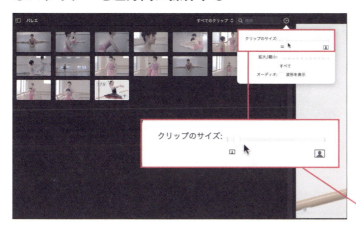

多くのクリップをスクロールなしに一覧できますが、1つひとつのクリップが小さなサムネイルになるので、中身をイメージすることが難しいです。

● スライダーを右方向に操作する

クリップサムネイルが大きくなるので、中身をイメージすることができますが、ブラウザ画面に表示できるクリップ数が減るため、クリップが多いときには、上下にスクロールしてクリップを探す手間が増えてしまいます。

ブラウザに表示されるクリップの長さを調整する

動画クリップは、数秒の短いものも、数分の長いものもありますが、標準の状態ではクリップの長さにかかわらず、1コマのサムネイルでブラウザ上に表示されます。この表示をクリップの長さに応じて変更することができます。

手順1 クリップの拡大・縮小

歯車アイコンをクリックして、「拡大/縮小」のスライダーを左右に操作します。

● スライダーを左方向に移動する（1コマ表示）

クリップの長さ（撮影時間）にかかわらず、すべて1コマのサムネイルになります。素材全体の一覧性がよくなります。

すべてにするとコマの大きさは同じになる

● スライダーを右方向に移動する（撮影時間の長さで表示）

クリップの撮影時間に応じてクリップサムネイルが長く引き延ばされて拡大されます。ほかのクリップが見えにくくなりますが、長い（時間の）クリップの中の特定部分を見つけやすくなります。

右に寄せると撮影時間の長いクリップは1コマが大きくなる

オーディオの波形を表示する

オーディオの波形表示をオンにすることで、クリップの音声部分が波形として表示されます。この波形を見ることで、音楽のヤマや、セリフのしゃべり出しなど、編集のキーポイントを見つけやすくなります。

「波形を表示」にチェックを入れるとオーディオ波形が表示される

SECTION キーワード▶クリップ／タイムライン／範囲

15 編集作業を始めよう（編集の基本）〜範囲を選んで追加する〜

さあ、動画をつないでいきましょう。動画をタイムラインに追加するときに、クリップをまるまる追加する方法と、その範囲の一部を追加する方法の2通りがあります。
また、ここでは複数のクリップを一度に追加する方法も覚えましょう。

クリップ単位で動画を追加する場合

最初は動画をクリップ単位で追加していく方法です。iMovieはタイムラインでのクリップ調整が得意なので、細かな調整はあとにまわしてザクザクとクリップを並べていくときに有効な方法です。

 クリップを選ぶ

クリップをクリックすると、そのクリップが選択され、黄色い枠で囲まれます。このとき、クリップの左上に秒数（クリップの長さ）が表示されます。

 追加ボタンが表示される

同時にクリップの右下に＋ボタンが表示されます。これが追加ボタンです。

 クリップを追加

＋ボタンをクリックする（もしくはキーボードショートカット：E）と選択したクリップ全体がタイムラインに追加されます。

 手順4　どんどん追加する

手順1〜3を繰り返してクリップをつないでいきます。＋ボタン（キーボードショートカット：E）は編集中のタイムラインの「末尾に追加」する機能なので、常にタイムラインの「前から順番に並べていく」形でクリップが追加されていきます。

 注意　クリップの＋ボタン

＋ボタンによるクリップ追加は、常に末尾にクリップが追加されます。

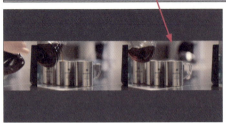

クリップをつまんでタイムラインへ追加する

クリップの追加は手動で行うこともできます。この方法を使うと、タイムラインの末尾だけでなく途中に入れることもできますが、それについては100ページで説明します。

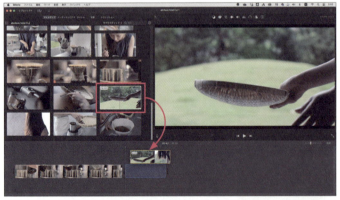

 手順1　クリップをドラッグ＆ドロップ

タイムラインに追加するクリップを選択したあと、ドラッグ＆ドロップでタイムラインに追加します。

クリップの一部分の範囲だけを追加する

クリップ単位で追加して、あとで範囲を調整するのがiMovieの得意な編集スタイルですが、クリップの一部分だけを範囲指定して追加することもできます。分単位の長いクリップなどは、あらかじめ使う部分だけを追加しておきたいですよね。

 クリップを選択

前ページ同様に、クリップをクリックすると、そのクリップが選択され、黄色い枠で囲まれます。クリップ全体を選択した状態です。

 先端部分の開始位置を決める

クリップの左端（つまり動画のアタマ）の黄色い枠をマウスで掴み左右に動かすと左端の黄色い枠線が伸び縮みし、範囲を変更できます。時間軸的に前後へ伸ばしたり縮めたりしている状態です。

 後端部分の終了位置を決める

クリップの右端の枠を左右に動かすことで、動画の終わり部分を伸ばしたり縮めたりできます。どちらも手を放すとその位置で黄色い枠が固定されますが、再度、動かすことも可能で、自由に追加する範囲を調整してください。
調整中はクリップの左上に表示される秒数（クリップの長さ）に加えて、調整後の秒数がリアルタイムに表示されるので何秒くらいにする、といった目安に使えます。

 選んだ範囲を追加

調整したあと、＋ボタン（あるいはキーボードショートカット：E）を押して選択範囲を追加します。

キーボードショートカットによる範囲指定

クリップを選択したあと、マウスポインタを使い始め（開始点）に移動させ、キーボードのIキーを押すと開始点（IN点と呼ぶため、ショートカットがIキーです）が設定されます。

同様にポインタを使い終わり（終了点）に移動させ、キーボードのOキーを押すと終了点（OUT点と呼ぶため、ショートカットがOキーです）が設定されます。

範囲指定しながらクリップを選択する

最初にクリップを選択するとき、キーボードのRキーを押しながらドラッグすると、その範囲のみを選択できます。Rキーの隣りがEキー（追加する）なので、慣れると非常にスピーディに編集できるようになります。

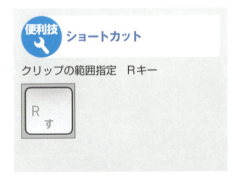

範囲選択をキャンセルする

クリップの部分選択をキャンセルして、クリップ全体を選択し直します。

 右クリック

そのクリップの上で右クリックします。

 全体を選択する

コンテキストメニューが表示されるので「クリップ全体を選択」をクリック(もしくはキーボードショートカットＸキー)します。

 全体を選択する

クリップ全体が選択されます。

複数のクリップをまとめて追加する（選択順）

タイムラインへのクリップの追加は、1クリップ単位で追加していくのが基本ですが、複数のクリップを選択順でまとめて追加する方法もあります。

 複数クリップを選択

commandキーを押しながら、追加したいクリップを❶～❺まで「順番に」クリックしていく（順番に選択するというのがポイントです）。

 まとめて追加

キーボードのEキー、もしくはドラッグ＆ドロップでタイムラインに追加します

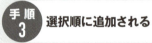 **選択順に追加される**

手順1で選んだ順番❶～❺にクリップがタイムラインに並んでいるのがわかります。

複数のクリップをまとめて追加する（エリアごと）

MacのFinderで複数ファイルを選ぶように、クリップを選ぶときにあるエリアをドラッグして囲む範囲指定の方法があります。

 ドラッグでまとめて選択

クリップを選択していない状態で、かつ、クリップの外側から範囲をドラッグします。

 まとめて追加

キーボードのEキー、もしくはドラッグ＆ドロップでクリップをタイムラインに追加します。

 ブラウザの並び順に追加される

ブラウザに並んだ順番でタイムラインに並んでいるのがわかります。

 クリップを時系列順に並べる方法

ブラウザ上で右クリックして「クリップの表示順序」を日付にすると、ブラウザでクリップが撮影時間の順番に並びます。この機能を併用すると、起こったエピソードを時系列順にタイムラインに並べることができます。

SECTION キーワード▶クリップ／ピクチャ・イン・ピクチャ

16 クリップの間に別のクリップを割り込ませる（挿入と接続）

前項では、クリップの追加は常にタイムラインの末尾に対して行われました。本項ではクリップの追加の応用として、①タイムラインの途中にあるクリップとクリップの間に別のクリップを割り込ませる方法と、②タイムラインのクリップの上に別のクリップを重ねる方法の2つを解説します。

タイムラインの途中でクリップを割り込ませる

割り込み編集のことをiMovieでは「挿入」と呼びます。この操作は手動（マウス）で行うのがベターです。クリップをドラッグ＆ドロップの操作で挿入します。

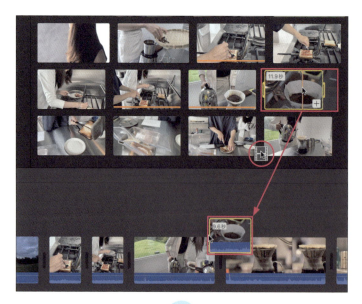

クリップを選ぶ

割り込みで追加したいクリップを選択します。クリップ全体でも一部分でも構いません。どちらも操作は同じです。

クリップをつまむ

＋ボタンは無視して（＋ボタンを押すと末尾に追加される）、クリップの黄色い枠の中をつかみ（クリックしたまま）ます。

割り込むようにドラッグ

クリップとクリップの間に割り込むように移動（ドラッグ）します。

裏技　キーボードショートカットによる挿入

この挿入のキーボードショートカットはWキーですが、少し注意が必要です。
手動で挿入するときはクリップとクリップの間が自動的に隙間が空いてそこに誘導してくれますが、Wキーを使うと、そのときにマウスポインタがある点に割り込んで挿入されます。意図的にクリップを割って間に入れたいとき以外は、▲▼キーでクリップの境界に移動してからWキーを使うようにしましょう。

 隙間ができる

すると、クリップが移動中のクリップの長さ分だけ後方にズレて、挿入できる隙間ができます。

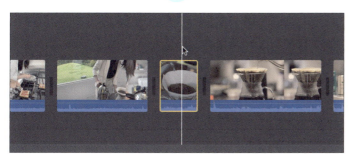

 隙間に割り込むようにはなす

隙間にクリップを入れるように動かしてクリップをはなす（ドロップ）と、クリップが「挿入」されます。

クリップの上に別のクリップを重ねて載せる

言葉で聞くとわかりにくいですが、図のようにクリップの上に別のクリップを重ねて置くことができます。この状態をiMovieでは「接続」といいます。上に載ったクリップのことを「接続されたクリップ」と呼びます。この操作も手動（マウス）で行うのがベターです。

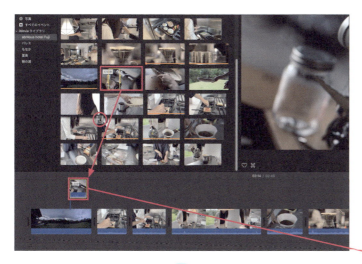

 クリップを選ぶ

接続で追加したいクリップを選択します。クリップ全体でも一部分でも構いません。どちらも操作は同じです。

 クリップをドラッグ

＋ボタンは無視して（＋ボタンを押すと末尾に追加される）、黄色い枠の中をつかみ、接続したいクリップの上にむけてドラッグします。

挿入したいクリップを選んでタイムラインの上に載せるように近づける

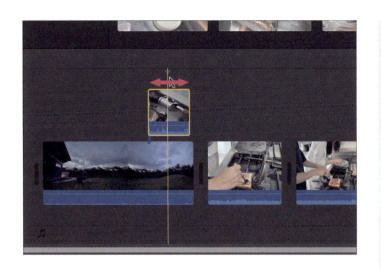

 はなすと接続される

接続して載せたい付近でマウスをはなす（ドロップ）と、クリップの上に別のクリップが「接続して追加」されます。プロジェクトを再生すると、接続したクリップが重なっている部分は、上の（重なった）クリップが見えるだけですが、音声は両方のクリップのものが聞こえます。接続したクリップは自由に伸ばしたり、縮めたり、位置を動かしたりできます。

接続して追加　Q。マウスポインタがある位置を頭にして接続されます。

 ピクチャ・イン・ピクチャ（二重画面）を作る

さらに応用として上に重なったクリップをエフェクトで加工して写真のような二画面を作ることもできます。（247ページ参照）

SECTION

キーワード ▶ タイムライン／クリップ

17 タイムラインで使うクリップの長さを調整する（伸ばす・縮める）

前項ではブラウザでクリップの使用範囲を選択してタイムラインに追加する方法を説明しましたが、ここではタイムラインに追加したあとで、クリップの長さを伸ばしたり縮めたりして調整する方法を解説します。

クリップの終わりを伸ばしたり縮めたりする

手順1　伸び縮みさせたいポイントを選ぶ

調整したいクリップ（ここでは）の右端（終わり）にマウスポインタを近づけると、ポインタの形が、←│→に変わります。変わったらクリップの右端をプレス（マウスを押したままにする）でつかみます。するとクリップの右端に白い縦線が付きます。
※このとき、クリップの後端は2つめのマグカップにコーヒーを注いでいる映像になります。

手順2　クリップの終わりを縮めるには

クリップの右端をつかんだまま、左方向にマウスを動かします。クリップの右端（終わり）が短くなって行きます。新しい秒数（継続時間）がリアルタイムに表示されます。
※クリップの後端が1つめのマグカップにコーヒーを注いでいる画になりました。

このようにタイムラインでクリップを伸ばしたり縮めたりすると、それに連動してビューアの表示も動きます。

 クリップの終わりを伸ばすには

クリップⓐの右端をつかんだまま、右方向にマウスを動かします。クリップⓐの右端（終わり）が長くなっていきます。
※クリップⓐの後端が3つめのマグカップにコーヒーを注いでいる画になりました。

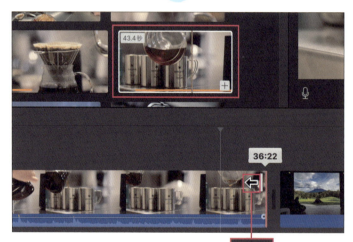

 元のクリップ以上には伸ばせない

右方向にマウスを動かし続けると、クリップの右端が赤くなり、それ以上動かなくなります。これは元のクリップの終わりまで来たときの表示です。

SECTION15でクリップ単位で追加していると、右端は左方向にしか動かせません。（そのとき、マウスポインタは←|になります）

クリップの頭を伸ばしたり縮めたりする

クリップの左端（頭）を伸ばしたり縮めたりする操作も、基本は同じです。

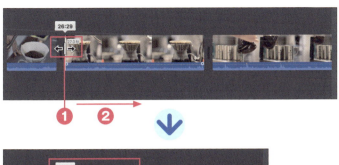

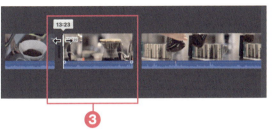

 手順1　伸び縮みさせたいポイントを選ぶ

調整したいクリップの頭にマウスポインタを近づけると、ポインタの形が、←｜→に変わります。

 手順2　端をつかむ

変わったらクリップaの左端をプレス（マウスを押したままにする）でつかみます。するとクリップaの右端に白い縦線が付きます。

 手順3　クリップの頭を短くする

クリップaの左端をつかんだまま、右方向にマウスを動かします。クリップaの左端（先頭）が短くなっていきます。

 クリップは連動します

クリップの伸び縮みは、そのクリップ「のみに」機能し、その伸び縮みによって、タイムラインの他のクリップは、押し出されたり、引き戻されたりします。

この例の場合、クリップaを伸ばすと、b,cはそれぞれの秒数は同じまま後方に押し出されるので、プロジェクト全体の秒数はaが伸びた分だけ長くなります。
クリップaを短くした場合には、b,cはそれぞれの秒数は同じまま前方に引き戻され、プロジェクト全体の秒数はaが縮んだ分だけ短くなります。

SECTION

キーワード ▶ クリップ／削除／部分削除

18 クリップの削除、部分削除

クリップをタイムラインに追加したあとで、クリップを削除する方法を解説します。①クリップをまるまる削除する方法と、②クリップの一部を削除する方法の2通りがあります。特に、後者はいくつかのパターンがあるので覚えておくと便利です。

クリップをまるごと削除する

 削除対象を選ぶ

タイムライン上の削除したいクリップを選択します。クリップは黄色い枠で囲まれます。

 右クリックでメニューを出す

削除対象のクリップの上で右クリックをします。コンテキストメニューが表示されたら「削除」を選択します。

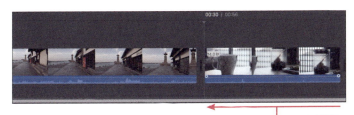

 手順3 クリップが削除された

クリップが削除されて、右側（時間軸では後方）にあるクリップが詰められて、隙間がなくなります。

 ショートカット

削除　deleteキー

クリップの不要な部分を削除する（トリムで削除）

長いクリップ（ここでは灯台に向かう移動ショット）の前半分を削除したいとき、前項で行ったクリップの端を縮める方法もありますが、ここでは「トリム」を使ってみましょう。

 手順1 境界線を表示

削除する部分と残す部分の境界線でタイムラインのクリップをクリックします。クリップの上部に▼マークが現れます。この▼マークと、その下に延びる直線が「再生ヘッド」です。

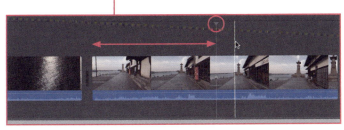

 **手順2 トリムを選択**

クリップ上で右クリック。コンテキストメニューから「再生ヘッドの位置までトリム」を選択します。

 手順3 不要部分が削除された

クリップの前半分が削除されました。

 ## トリムは短い方を削除する

トリムは便利な機能ですが、落とし穴があります。
再生ヘッドの位置までトリムは、再生ヘッドから「クリップの端までが短い方」をトリムするので、この例の場合、クリップの半分より後に再生ヘッドを置いた場合、前ではなく、後半部分が削除されてしまいます。
そのため、削除作業に慣れないうちはトリムではなく、分割してから削除する方法をお勧めします。

クリップの不要な部分を削除する（分割して削除）

トリムよりもひと手間多いのですが、その分、誤って削除する危険が少ないのが、この方法です。

 分割ポイントを選ぶ

削除する部分と残す部分の境界線でタイムラインのクリップをクリックします。クリップの上部に再生ヘッド（▼マーク）が現れます。

 その位置で分割する

クリップ上で右クリックします。コンテキストメニューから「クリップを分割」を選択します。

 クリップが分割された

再生ヘッドの場所に切れ目が入り、クリップが分割されます。

 不要な方を選択し

分割されたクリップのうち、不要な方（この例では前半分）をクリックして選択します。

 削除する

P＿同様に、コンテキストメニューから削除、もしくはキーボードショートカットEキーを押して不要部分を削除します。

残す部分を選択してそれ以外を削除

長いクリップの「一部分を残して」それ以外の部分を削除する方法です。

 残したい部分をドラッグ

Rキーを押しながらクリップ内の「残したい部分」をドラッグします。

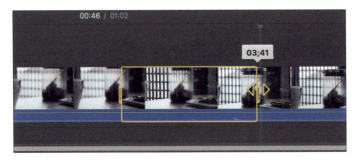

 残したい部分が選ばれた

選択範囲のみが黄色い枠で囲まれます。

 右クリックでメニューを出す

クリップ上で右クリック。コンテキストメニューから「選択範囲をトリム」を選択します。

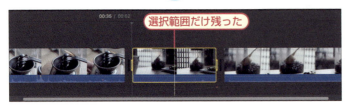

 選択範囲が残った

選択範囲のみが残って、ほかの部分が削除されます。

クリップの順番を入れ替える

タイムラインに並んだクリップの順番を入れ替える方法です。
ここでは、4個目にある d 珈琲カップのクリップを、1個目の a（風景カット）と2個目の b（珈琲豆）の間に入れる作業をします。

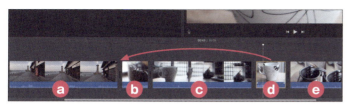

 移動させるクリップを選ぶ

d 珈琲カップを選択します。

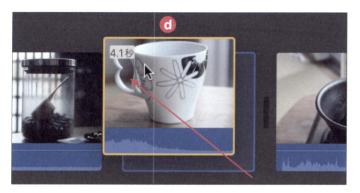

 持ち上げる

d 珈琲カップのクリップをマウスで選択（クリック）して持ち上げ（ドラッグ）ます。

 浮かすと隙間が詰まる

ある程度持ち上げると、e 珈琲ミルが左（前方）に詰めて隙間をなくします。

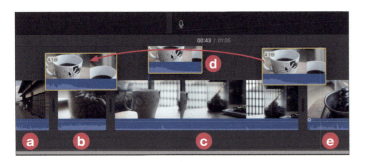

手順 4 クリップを移動する

d珈琲カップをドラッグしてa風景とb珈琲豆の間に割り込むように近づけます。

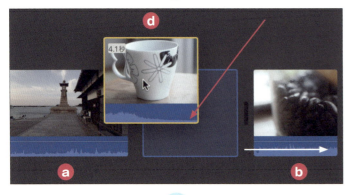

手順 5 隙間ができる

b珈琲豆が右(後方)にズレて、d珈琲カップが入る隙間を作ります。

手順 6 はなして完了

d珈琲カップをドロップ(はなす)して入れ替え完了。

SECTION キーワード▶マーク

19 マークを使ってクリップを見分ける

編集はたくさんのショット（iMovieではクリップ）の中から、良い画を選び、つないでいく作業です。撮影したクリップが少なければ選ぶのも難しくはありませんが、何十ショットも撮影したら、良いと思ったクリップさえ、あとから探すのが大変です。
ここではマーク機能を使ってクリップを見分けたり、整理したりする編集支援機能について説明します。

よく使う項目として設定する

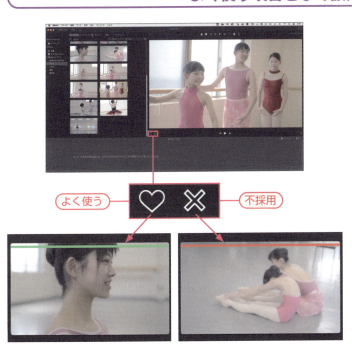

ブラウザのクリップを選択しているとき、ビューアの左下に「♡ ×」のボタンがあります（タイムラインのクリップを選択しているときは、ここがアフレコボタンになります）。

 覚えやすい呼び方

余談ですが、このよく使う項目に追加、iMovie英語版では「Add Favorite（お気に入りに追加）」です。この方が実際の使い方に合っているので、わたしは♡マークをお気に入りボタン、と呼んでいます。

 キャンセルの仕方

♡ボタン、×ボタンは共に、もう一度押すとマークが解除され、ラインも消えます。

ボタン	機能
♡	よく使う項目に追加します。押すと、クリップ上部に緑色のラインが付きます（ブラウザ上のみです。実際の映像には付かないので安心して下さい）。編集で使いたいクリップの目印です
×	選択項目を不採用にします。押すと、クリップ上部に赤いラインが付きます。iMovieに読み込んだものの、使わない（つもりの）クリップの目印です

113

ブラウザの表示内容を絞り込む

ブラウザ右上の「すべてのクリップ」(初期状態) と表示されている部分をクリックすると、ブラウザの表示内容を絞り込むことができます。

すべてのクリップ	初期状態　マークに限らず、すべてのクリップを表示
不採用を非表示	×マークをつけたクリップを除いて表示
よく使う項目	♡マークをつけたクリップのみを表示
不採用	×マークをつけたクリップのみを表示

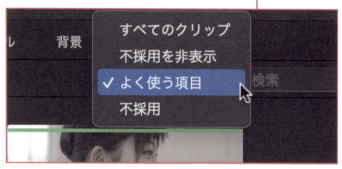

プロジェクトのタイムラインに使われているクリップは、ブラウザのクリップサムネイル下部にオレンジのラインが付きます。
よく使う項目 (♡) マークのついたクリップは上部に緑、不採用 (×) クリップは上部に赤のラインがつきます。
このとき、♡マーク、×マークは、常にクリップ全体にラインが付きますが、オレンジのラインはそのクリップの使われている範囲のみオレンジのラインが付きます。

一部だけ使っている

クリップ全体を使っている

SECTION ▶ キーワード ▶ トランジションエフェクト

20 クリップとクリップの間の切り替え効果（トランジション）

テレビドラマなどの場面効果の演出で画面がじわじわと切り替わるのはクロスディゾルブといいます。それ以外にもページがめくれるように切り替わるなど、画面と画面を切り替える効果が多数あります。それらを総称して「トランジションエフェクト」といいます。
ここではトランジションエフェクトの適用と調整について説明します。

クロスディゾルブを使ってみる

トランジションの代表格「クロスディゾルブ」は、場面転換の基本エフェクトとして昔から愛されてきました。ここでは、そのクロスディゾルブを例にして説明しますが、トランジションの使い方は基本どれも同じです。

手順1 ブラウザの表示を切り替える

ブラウザの上にあるコンテンツライブラリから「トランジション」を選びます。

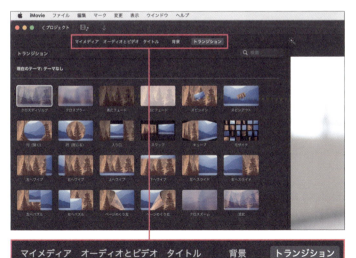

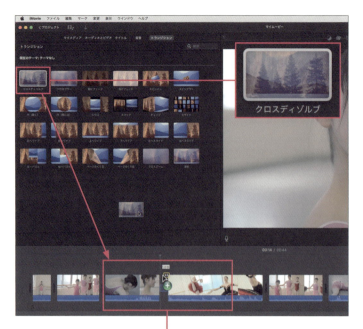

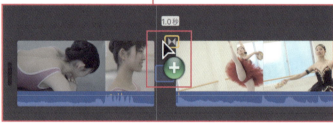

トランジション一覧表示

ブラウザがトランジション一覧画面に変わります。

ドラッグして近づける

トランジション一覧の左上にある「クロスディゾルブ」をドラッグして場面転換したいクリップとクリップの間に近づけます。ポインタの形がトランジションアイコンに変わり、＋のマークが表示されます。

適用

＋マークが表示されたらドロップします。クリップとクリップの間に▶◀アイコンがあれば、トランジションが適用されています。

再生して確認

再生ボタンで再生してみましょう。画面がディゾルブで切り替わるのが確認できると思います。

再生ボタン　スペースバー

トランジションの長さ（継続時間）の変更

切り替わりが少し早かったですか？　トランジションの初期設定は「1秒で切り替わる」です。それではトランジションの長さを変更してみましょう。

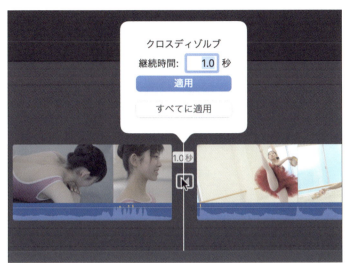

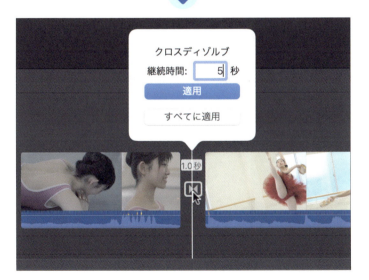

 トランジションアイコンを　手順1　ダブルクリック

トランジションのアイコン▶◀をダブルクリックします。

 継続時間が表示される　手順2

トランジションの継続時間ウィンドウが表示されます。

 変更前の秒数　手順3

ここに表示されている秒数が現在のトランジションの長さです。

 新しい継続時間を入力して　手順4　適用

継続時間を変更し、適用をクリックすると、トランジションの長さが変わります。例の場合は、1秒から5秒にトランジションが延びます。

 裏技　すべてのトランジションを一斉に秒数変更する

すべてのクリップに適用するには、「すべてに適用」ボタンをクリックします。すると、そのプロジェクトにあるすべてのトランジションの秒数が一斉に変わります。

 便利技　トランジションの初期値を変更する

トランジションの初期値は1秒ですが、これは環境設定から変更できます。

トランジションの削除

設定してあるトランジションを削除するには次の手順で行います。

 削除するトランジションを選ぶ

削除するトランジションアイコンを選択します。

 deleteキーで削除

キーボードのdeleteキーを押します。クリップ間にあったトランジションが削除されます。

トランジションの詳細編集

 ▶◀アイコンを選択

トランジションアイコンを選択します。

 コンテキストメニューを表示

右クリックしてコンテキストメニューから「詳細編集を表示」を選択すると、タイムラインの表示が「詳細編集」画面に変わります。

 詳細編集画面

詳細編集画面では、画面切り替え前のクリップと切り替え後のクリップが上下に並んで表示され、切り替わるプロセスがナナメのラインで表現されます。

この例の場合、しだいに暗くなっていく上段のクリップと、しだいに明るくなっていく下段のクリップの間にあるバーが、トランジションの継続時間（ここでは5秒）を表しています。

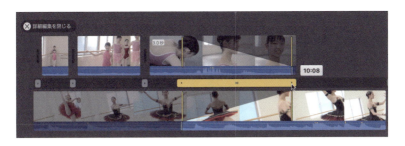

このバーを長くしたり短くすることで、継続時間を両方の画の重なり具合を見ながら調整できます。
調整が終わったらタイムライン左上の「X　詳細編集を閉じる」をクリックすると、通常のタイムライン画面に戻ります。

iMovieのトランジションの種類

現在、iMovieには24種類のトランジションが搭載されています。そのすべてはコンテンツライブラリ➡トランジションで一覧表示できます。ドラッグ＆ドロップで適用するのはクロスディゾルブと同じです。
ただし、もっともよく使うスタンダードなトランジションであるクロスディゾルブだけ、キーボードショートカット：command＋Tが設定されています。

トランジションは実際に適用して試してみるのがいちばんですが、ユニークなものを3つほど紹介しておきましょう。

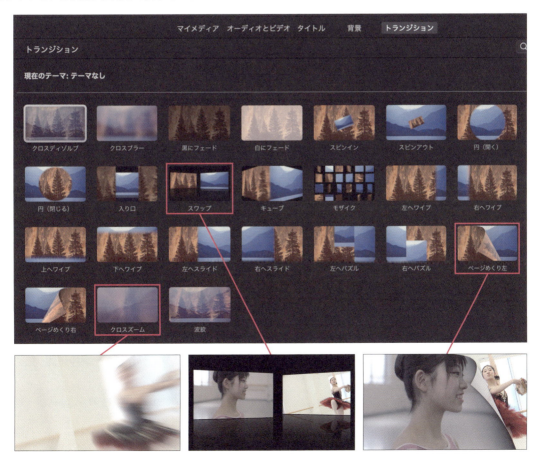

トランジションライブラリにあるもの

次の表は、トランジションの種類と動作説明です。

No	イメージ	名称	説明
1		クロスディゾルブ	じわじわと映像が切り替わる
2		クロスブラー	映像がぼやけて切り替わる
3		黒にフェード	いったん暗くなって切り替わる
4		白にフェード	いったん白くなって切り替わる
5		スピンイン	映像の奥から新しい映像が回転して来て切り替わる
6		スピンアウト	映像が奥へ回転しながら消えて新しい映像と切り替わる
7		円（開く）	新しい映像が中心から円の広がりで切り替わる
8		円（閉じる）	古い映像が奥へ消えて新しい映像と切り替わる
9		入り口	扉が開くようにして新しい映像に切り替わる
10		スワップ	2つの映像が入れ替えになって切り替わる
11		キューブ	四角いキューブの面が回転して切り替わる
12		モザイク	モザイク状に映像がバラバラになって切り替わる

No	イメージ	名称	説明
13		左へワイプ	映像が左へスライドして切り替わる
14		右へワイプ	映像が右へスライドして切り替わる
15		上へワイプ	映像が上へスライドして切り替わる
16		下へワイプ	映像が下へスライドして切り替わる
17		左へスライド	新しい映像が左へスライドして切り替わる
18		右へスライド	新しい映像が右へスライドして切り替わる
19		左へパズル	分割された新しい映像に左から切り替わる
20		右へパズル	分割された新しい映像に右から切り替わる
21		ページめくり左	左側へページめくりで新しい映像に切り替わる
22		ページめくり右	右側へページめくりで新しい映像に切り替わる
23		クロスズーム	ズームしたかのように映像が切り替わる
24		波紋	水面が揺れるようにして映像が切り替わる

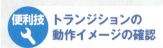

便利技　トランジションの動作イメージの確認

トランジションをクリックして、キーボードのスペースキーを押すと、ビューアにトランジションの動作イメージが表示されます。

SECTION 21

クリップの色や明るさを調整する

キーワード▶自動／マッチカラー／ホワイトバランス／スキントーンバランス／色補正／サチュレーション／色温度

iMovieの色補正機能を使って、映像の色や明るさを変える方法を説明します。いまのカメラは優秀なので撮影したときに大きな失敗はないと思いますが、それでも「思ったよりも映像が暗くなってしまった」「もっと印象的にしたい」といったときに使いたいテクニックです。

明るさや画質を調整する調整バー

クリップの色を調整する方法はいくつかありますが、その中でも大きくは2通りに分けられます。自動で調整してもらうか、あるいは自分の感覚で調整するかになります。

- ●自動で映像を調整してもらう（自動補正を使う）
- ●自分で映像を調整する（個別調整用のアイコンを使う）

自動補正で明るさを調整する

まずは知識なしでもカンタンに色補正ができるiMovieお任せの「自動補正」から試してみましょう。
ビューアの上、調整バーの左端にある魔法の杖のようなアイコンが「自動補正」ボタンです。クリップのビデオとオーディオを分析し、品質を向上させます。

 手順1 自動（補正）ボタンを押す

補正したいクリップを選択して「自動（自動補正）」ボタンをクリックします。補正は「クリップ単位」で行われます。クリップの一部の範囲に対して行うことはできません。

手順2 補正できた

自動補正が行われ、逆光状態で暗かった人物が明るくなりました。
調整バーで青くなっているアイコンが自動補正されたカテゴリーです。
基本は後述する「カラーバランス」「色補正」「ボリューム」が補正されます。

 便利技 自動補正をキャンセルする

自動補正をキャンセルするには、調整バーの右端にある「すべてをリセット」をクリックします。

画質を手動で補正する

調整バーにあるツールのうち、「カラーバランス」「色補正」について説明します。

●「カラーバランス」

カラーバランスアイコンをクリックすると、4つのコントロールボタンが現れます。
①自動、②マッチカラー、③ホワイトバランス、④スキントーンバランスなどがあります。

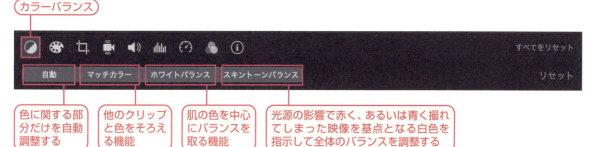

自動

自動（自動補正）とは、自動でカラーバランスを調整する機能です。前項の「自動補正」と異なるのは「自動補正」はカラーバランス、色補正、ボリュームに渡って補正しますが、「自動」はカラーバランスの機能の範囲でのみ調整を行います。

・補正は「クリップ単位」で行われます。クリップの一部の範囲に対して行うことはできません。
・キャンセルするには、コントロールボタンの右端「リセット」をクリックします。

マッチカラー

マッチカラーとは、クリップの色や明るさの雰囲気を、ほかのクリップに合わせる（マッチさせる）機能です。

 マッチカラーをオン

補正したいクリップを選択し、カラーバランス➡マッチカラーをクリックします。

 2画面表示に切り替わる

ビューアが2画面表示になり、右に「補正したいクリップ」左に「サンプルとなるクリップ」が表示されます。

 サンプルを探す

タイムラインでサンプル（参照元）となるクリップまでポインタを動かします（スキミング）。

こちらの画面がスキミングに連動します。

 スキミング中

スキミング中はビューアの左側「サンプルとなるクリップ」が連動してポインタ位置の映像を表示します。

 手順5　マウスポインタがスポイトに

スキミング中はマウスポインタがスポイトの形に変わります。

 手順6　サンプルフレームでクリック

サンプルにしたいクリップが見付かったら、そのフレームをビューア左に表示させつつ、タイムラインで（スポイトを）クリックします。

 手順7　マッチされた

ビューア右のクリップがサンプルとマッチするように補正されます。

 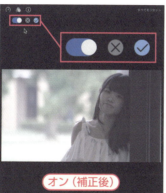

 手順8　オンオフ比較できる

ビューア右上にエフェクト　オン/オフスイッチがあります。
左：オフ（補正前）、右：オン（補正後）を比較することができます。

 手順9　確定 or キャンセル

よければ✓ボタンを押して適用。取り消しは✕ボタンでキャンセルします。

 裏技　ブラウザから サンプルの指定もできる

タイムラインをサンプルにする方法で説明しましたが、サンプル対象の指定はブラウザからでも可能です。

ホワイトバランス

周囲の光源の影響で、映像が色かぶりするときがあります。ホワイトバランス（補正）とは、基準となる白を指定することでカラーバランスを補正する機能です。

 ホワイトバランスをオン

補正したいクリップを選択し、カラーバランス➡ホワイトバランスをクリックします。

 白であるべき点を選ぶ

ビューアの中で、本来は白（もしくはグレー）であるポイントにスポイトを合わせクリックします。

 その点を白として全体が補正される

そのポイントを白（もしくはグレー）の基準として映像全体のバランスが補正されます。

 確定 or キャンセル

よければ✓ボタンを押して適用。取り消しは✕ボタンでキャンセルします。

スキントーンバランス

スキントーンバランスは、人物の顔や肌を基準にカラーバランスを補正します。

 スキントーンバランスをオン

補正したいクリップを選択し、カラーバランス➡スキントーンバランスをクリックします。

 肌の基準点を選ぶ

ビューアの中で、顔や肌のポイントにスポイトを合わせクリックします。

 その点を基準に全体が補正される

そのポイントをスキントーンの基準として映像全体のバランスが補正されます。

 確定 or キャンセル

よければ✓ボタンを押して適用。取り消しは✗ボタンでキャンセルします。

便利技　肌色の調整の仕方

照明状態によって顔や肌の色合いは同じ場面でも異なるので、スポイトでクリックする部分によって結果は異なります。何ヶ所かトライしてもっとも良いと思えるスキントーンを見つけてください。

手動による色補正

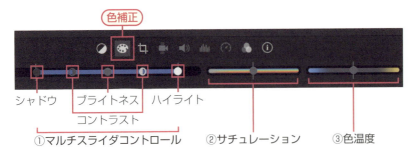

シャドウ　ブライトネス　ハイライト
　　　コントラスト
①マルチスライダコントロール　　②サチュレーション　　③色温度

前項までの「カラーバランス」は、なにかをサンプルとした半自動補正でした。ここでは各種のパラメータを直接操作する、手動による色補正の方法を説明します。
色補正コントロールには3つのコントロールがあります。

 手順1　色補正をオン

調整バーの「色補正」をクリックします。色補正コントロールが表示されます。

 手順2　明るさ（ブライトネス）

マルチスライダコントロール中央の●が、明るさ（ブライトネス）ポイントです。この●を右方向にスライドさせると映像全体が明るくなっていきます。左方向にスライドさせると映像は暗くなっていきます。（コントラストも連動して動きます）

ブライトネスを上げた

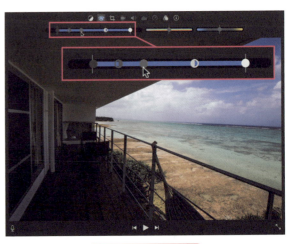

ブライトネスを下げた

● マルチスライダコントロール：シャドウ/ハイライト

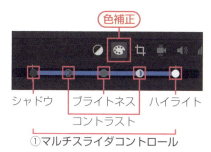

①マルチスライダコントロール

マルチスライダコントロールの左端の●がシャドウコントロール、右端の○がハイライトコントロールです。

シャドウコントロールを右方向にスライドさせると、シャドウ部分（暗い部分）を中心に明るく調整します。もともと明るい部分はあまり影響を受けません。

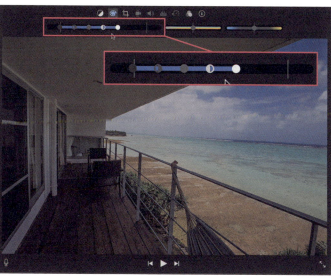

ハイライトコントロールを左方向にスライドさせると、ハイライト部分（明るい部分）を中心に暗く調整します。もともと暗い部分はあまり影響を受けません。

● マルチスライダコントロール：コントラスト

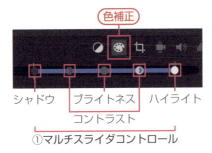

マルチスライダコントロールの中間にある◐と◑が、コントラストコントロールです。この2つは連動して動き、個別に動かすことはできません。

コントラストコントロールを内側に向けてスライドさせると、コントラストの低い（ローコントラスト）柔らかな画調になります。

コントラストコントロールを外側に向けてスライドさせると、コントラストの高い（ハイコントラスト）きつめな画調になります。

サチュレーション

サチュレーションは彩度・鮮やかさを調整する機能です。

●白黒（グレー階調）に色を調節する場合

サチュレーションスライダを左方向に操作すると、色味が抜けていき、最後は白黒（グレー階調）になります。図は僅かに色味を残した状態です。

●濃い画調に色を調節する場合

サチュレーションスライダを右方向に操作すると、色味がブーストされ、鮮やかで濃い画調になります。

色温度

光源の発する光の色は**色温度**という尺度で表現します。
色温度が高いほど寒色系に、低いほど温色系になります。
色温度スライダは画調を寒色系・温色系に調整する機能です。

●**クール系に色を調節する場合**

色温度スライダを左方向に操作するとクール系に色が変化します。例では部屋の灯りの影響でややウォームトーンに映っていたドレスが純白になっています。

●**ウォーム系に色を調節する場合**

色温度スライダを右方向に操作するとウォーム系に色が変化します。例では全体がクラシック調のアンバートーンに演出されました。

SECTION キーワード▶画面／フィット／クロップ／Ken Burns

22 画面の拡大・縮小と手ぶれ補正

画面をズームアップしたり、iPhoneで撮影した縦長動画を使うなど、画面のサイズや横縦比を調整する方法、手ぶれを補正する方法を説明します。

画面サイズの調整

昔のビデオカメラはSD（標準解像度）なので、横縦比が4：3でした。iPhoneをはじめスマートフォンを普通に構えて動画を撮ると、横縦比は9：16になります。

①昔のDVビデオカメラの映像をHDプロジェクトに追加した例

これらの動画クリップをHDのプロジェクト（横縦比16：9）で使うと、画面に余り（余白と言いたいところですが、ビデオでは何も無い部分は黒です）が出ます。

①昔のDVビデオカメラの映像をHDプロジェクトに追加した例
②iPhoneの縦長動画をHDプロジェクトに追加した例

②iPhoneの縦長動画をHDプロジェクトに追加した例

フィット機能で調整する

調整バーのクロップをクリックします。
初期状態では「フィット」が選ばれているはずです。これはクリップを「欠けることなく」画面にフィットして配置する方法です。そのため、余った部分が黒い帯となって残ります。

 クロップをオン

画面を調整する場合は、ツールバーの右側にある、調整バーの**クロップ**をクリックします。

 初期状態はフィット

初期状態では**フィット**が選ばれています。これはクリップを「欠けることなく」画面にフィットして配置する方法です。そのため、余った部分が黒い帯となって残ります。

サイズ調整してクロップ①

「サイズ調整してクロップ」は、拡大したい映像の一部をクロップ（切り出し）してHD画面全体にフィットさせる方法です。

 サイズを調整してクロップをオン

調整バー➡クロップ➡サイズ調整してクロップを押します。

 調整用の枠が表示

ビューアに白い枠線が現れます。この枠の横縦比は16：9です。

 枠を移動して調整

白い枠線を引っ張って（ドラッグ）して残したい範囲に枠線を移動させます。

 確定 or キャンセル

✓ ボタンで適用します（リセットでキャンセル可能）。

 画面いっぱいにフィットした

選択範囲がクロップされ、画面いっぱいに表示されました。

サイズ調整してクロップ②

「サイズ調整してクロップ」を使って、画面の一部をアップにして（拡大して）見せることができます。

 サイズ調整してクロップをオン

調整バー➡クロップ➡サイズ調整してクロップを押します。

 調整用の枠が表示

ビューアに白い枠線が現れます。

 枠を移動して調整

白い枠線をドラッグして拡大して表示したい範囲に枠線をトリミングします。

 確定 or キャンセル

✓ボタンで適用します。（リセットでキャンセル可能）

 画面いっぱいにフィットした

選択範囲がクロップされ、画面いっぱいに表示されました。

Ken Burnsの機能で調整する

サイズを調整してクロップが、画面の一部を単純にクロップするのに対し、Ken Burnsエフェクトは継続時間の中でクロップする範囲が変化します。これによって、動画クリップや読み込んだ写真にズームアップしたりパン（PAN）したり、といった疑似カメラワークを付加することができます。

 Ken Burnsをオン

調整バー➡クロップ➡Ken Burnsを押します。

 枠が2つ表示される

白い枠が2つ現れ、それぞれ開始、終了のラベルが表示されています。

 開始の位置とサイズを調整

開始の白枠を移動させたり、サイズを変えたりして、スタート時の画面範囲を設定します。

 終了の位置とサイズを調整

終了の白枠を同様に操作し、終わりの時の画面範囲を設定します。

 2点間を自動的に移動

開始枠と終了枠の間に黄色い矢印が表示され、範囲が動く方向を表しています。

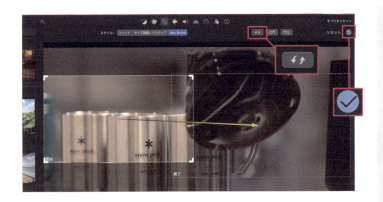

手順6 開始、終了の入れ替えも可能

このとき、上部の「↓↑」ボタンを押すと、開始と終了の範囲、位置を入れ替えることができます。

手順7 確定 or キャンセル

✓ ボタンで適用します（リセットでキャンセル可能）。

クリップの継続時間にあわせて、画面に映る範囲が移動し、擬似的なカメラワークの設定ができました。

このKen Burnsエフェクトは、写真などの静止画を使うときに特に有効です。iMovieで写真をタイムラインに追加するとデフォルトでKen Burnsエフェクトが設定されます（なので、動かしたくないときは、クロップからフィット、もしくはサイズ調整してクロップを再設定してください）。

手ぶれ補正の機能で調整する

手持ちで動画を撮ると手ぶれが起こりやすく、画面が小刻みに揺れて見えにくくなるときがあります。
クリップに手ぶれがある場合は、「手ぶれ補正」の機能を使えばビデオクリップの画面の揺れを抑制し、見やすいビデオクリップにすることができます。また、撮影時にカメラを大きく動かしたり、高速で動くものを撮影したりするとローリングシャッター歪みと呼ばれる、直線が曲がって録画されることもあります。

手順1 手ぶれ補正をオン

手ぶれを補正したいクリップを選択して、調整バー➡手ぶれ補正をクリックします。

手順2 補正内容をチェック

ビデオの手ぶれ補正にチェックを入れます。ローリングシャッター歪みを補正したいときは、ローリングシャッターを補正にチェックを入れます。

 手順3 補正には時間がかかる

クリップの手ぶれ補正が分析されている間、ビューアの左下に進行度合いの目安として「ドミナントモーションを解析中…」が表示されます。

 便利技 ローリングシャッターは画像の歪みを補正する

撮影途中でカメラが大きく傾いたり、動きの速いものを撮影したりすると画像に歪みが発生することがあります。この歪みを補正する機能がローリングシャッターです。ローリングシャッターは4段階に効果を調整できます。

 手順4 補正は画角が変わる

解析が終わるとクリップの手ぶれが抑制されます。パーセントの表示は補正強度を表しますが、強い補正をかけるほど、画面の範囲が削られます。

※解析前と解析後で映像が少しクロップ（削られている）されているのがわかります。

SECTION

キーワード ▶ エフェクト／再生速度

23 速度エフェクト：スローモーションほか

映像の再生スピードを変えてスローにしたり、早回しにしたりするエフェクトを説明します。再生スピードに変化をつけると印象的な映像にすることができます。速度に変化をつけるエフェクトは5種類あります。

速度変更の基本

再生速度は標準が基本ですが、標準よりも速くしたり、遅くしたりすることができます。また、停止した状態にすることや逆再生をすることもできます。再生速度は、次の5種類から選べます。

再生速度	機能
標準	標準の再生速度（1倍速）で再生する
遅く	スローモーション効果で再生する（1倍速に対して、−10%／−25%／−50%）
速く	早回し効果（1倍速に対して、2倍速／4倍速／8倍速／20倍速）で再生する
フリーズフレーム	任意のコマを静止させてストップモーションを作る
カスタム	任意のパーセンテージの速度エフェクトを適用する

 手順1 速度（変更）をオン

速度を変化させたいクリップを選んでから、調整バーの速度のアイコン（ ）をクリックします。

 手順2 遅くを試す

「速度：遅く（スローモーション効果）」をクリックしてみましょう。

 手順3 スローモーションになった

タイムラインのクリップが引き延ばされ、スローを表すカメのアイコンが表示されます。

遅く再生する場合（カメのアイコン表示）

遅く再生　　　遅く逆再生

「遅く」の再生速度の選択肢は4つになります。10％、25％、50％のスローと自動です。遅く設定されると、タイムラインのクリップ上にカメのアイコンが表示されます（右向きのカメ）。

また、「逆再生」に✔を入れると、スローの巻き戻し再生になります。タイムライン上のクリップ上に表示されたカメのアイコンは逆側を向きます（左向きのカメ）。

速く再生する場合（ウサギのアイコン表示）

速く再生　　　速く逆再生

「速く」の選択肢は、2倍、4倍、8倍、20倍の再生です。アイコンはウサギ。これも逆再生に✔を入れることで、早回しの巻き戻し再生になり、ウサギのアイコンも逆を向きます。

※遅くの「自動」は、ハイフレームレート撮影（120Pなど）された動画クリップをほかのクリップのFPSに合わせるモードになる。

ある秒数だけ静止画を作る場合（フリーズフレーム）

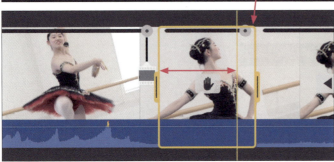

フリーズフレームは、任意の1コマを指定した秒数だけ静止画に変換してストップモーションを作成する機能です。

 動画をピタリと止める

静止画を作りたいフレームを選び、フリーズフレームを選んでから任意の継続時間を入力します。

 フリーズフレームができた

その秒数だけ映像がストップし、その後、再び動き出します。フリーズ中は音声もストップします。

速度を途中で変化させる応用技（上級）

カスタムでは速度エフェクトに任意のパーセンテージを設定できます。
図のように「ほんの少しだけスロー」の90％といった設定が可能です。

●**クリップの途中で速度を変化させる2つの方法**

映像の途中からスローモーションになる、そんなドラマチックな表現もiMovieで可能です。

まずはタイムラインのクリップから、スローにしたい範囲を設定します。
範囲を指定するための操作方法は次の2種類があります。

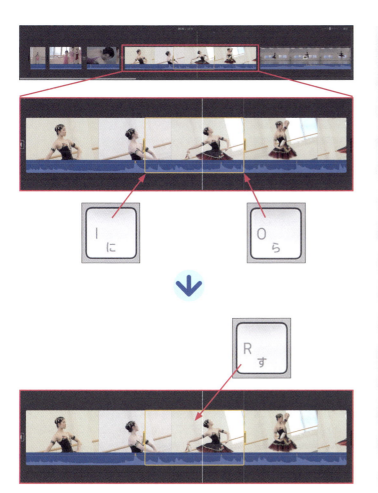

●方法1　開始点と終了点を指定する方法

開始点にIN点（キーボードショットカット：I）、終了点にOUT点（キーボードショートカット：O）を打って、範囲を設定する方法

●方法2　ドラッグで範囲指定

Rキーを押しながらドラッグします（その間が選択される）。

●方法1か方法2で範囲を選択後、「遅く」＞任意のパーセント　を設定

選択範囲がスローになり、その前後は標準速（1倍速）になります。

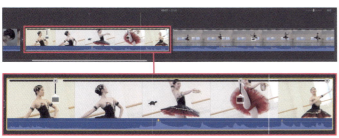

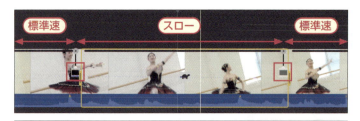

●境界線のハンドルを動かしてスローの範囲を調整

 ハンドルを左右に動かす

境界線にあるハンドルを動かすことで、スローの開始点、終了点を変更できます。

スローにすると音声のピッチが変わり、人の声などが低くなります。
ピッチを保持に✔を入れると、声が低くなるのを抑制します。

標準速部分とスロー部分は選択ポイントで切り替わるため、その境界部分はカクンと速度が変わり、あまり美しくありません。

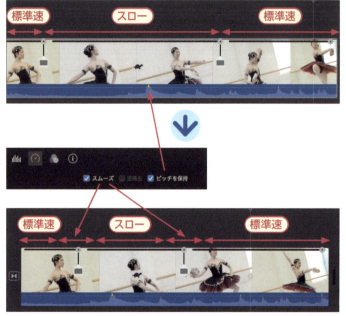

 境界線を滑らかにする

スムーズに✔を入れると、境界部分の前後で、標準速〜スロー　スロー〜標準速を滑らかに変化させることができ、つなぎ目に違和感の無いスローを作成できます。

SECTION

キーワード▶タイトル／タイトルプリセット

24 クリップにタイトルを挿入する

iMovieのタイトル（文字入れ）機能には、54種類もの豊富なタイトルバリエーションがあります。そのどれもがユニークでインパクトの強いモーションタイトル（動く文字）が特徴です。次のような操作の流れがあり、どのタイトルも操作手順は同じです。

タイトルをつくる

ここではタイトルプリセットを選んでビデオクリップに適用する方法を説明します。
次の流れでタイトルを挿入します。

①テンプレート一覧からタイトルプリセットを選ぶ
②クリップに適用する
③ダミー表示されているテキストを打ち換える
④必要に応じて書体や文字のサイズ、色を変更する

 手順1 タイトルモードに

ブラウザの上、コンテンツライブラリからタイトルを選びます。

 手順2 ブラウザにタイトル一覧が表示

ブラウザがタイトル（テンプレート）一覧に切り替わります。

 手順3　タイトルのイメージを確認

タイトルの上でマウスポインタを左右に動かすと、プリセットのイメージがビューアで再生されます。

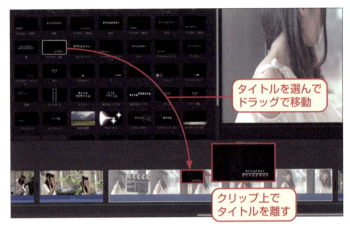

手順4　良ければ適用する

選んだタイトルをドラッグ＆ドロップでタイムラインのクリップに載せます。

これが共通のタイトル適用の方法ですが、最後のクリップへの載せ方で、タイトルを載せる範囲をコントロールできます。

タイトルを載せる範囲をコントロールする

最後のクリップへの載せ方（適用の仕方）で、タイトルを載せる範囲をコントロールできます。

●クリップの先頭部分に重ねるようにタイトルを置く場合

・クリップの前半1/3にタイトルが適用されます。
　クリップが15秒だった場合、5秒のタイトルとなります（ただし最長8秒）。

● クリップの後半部分に重ねるようにタイトルを置く場合

・クリップの後半1/3にタイトルが適用されます。
　クリップが15秒だった場合、5秒のタイトルとなります（ただし最長8秒）。

● クリップの真ん中あたりに重ねるようにタイトルを置く場合

・クリップ全体にタイトルが適用されます。
　クリップが15秒だった場合、15秒のタイトルとなります。

これを覚えておくと、タイトルへの文字の入力がスピーディにできます。

● タイトルをつける位置を指定する場合

・タイトルを載せるときクリップに重ねるのではなく、クリップより上で（図のように＋マークが出る状態で）マウスを放すと、その位置にタイトルを載せることができます（＋マークと一緒に下方向に線が表示されてクリップに刺さっていると思います。その位置に接続されます。）この場合のタイトル秒数は4秒です（初期設定）。

タイトルがクリップに接続されると、ビューアにダミーテキストが表示され、編集状態（ブルーグレーに色の付いた状態）になります。ここでダミーテキストを打ち換えます。
編集状態は行単位になるので、打ち換えたいタイトル部分をそれぞれクリックして選択します。

タイトル文字の書体や大きさ、色などを変更する

タイトル文字は書体や大きさ、色などを変更可能です（残念ながら画面の中に表示する位置を変えることはできません）。

実際に、クリップのタイトルを変更するには2通りの方法があります。

・タイムライン上でタイトル部分をダブルクリックする。
・ビューア画面上でタイトル部分をダブルクリックする。

いずれかの方法で変更します。

ボタン	機能
❶	フォント（書体）を選択する
❷	フォントのサイズを選択する
❸	テキスト（文字）を左揃えにする
❹	テキスト（文字）を中央揃えにする
❺	テキスト（文字）を右揃えにする
❻	テキスト（文字）の配置設定をする
❼	ボールド（太文字）にする
❽	イタリック（斜体）にする
❾	アウトライン（袋文字）にする
❿	カラーを選択する

● フォント（書体）の変更をする場合

ビューアにあるフォントのボタン（ ）をクリックすると、フォントのメニューが表示されます。ここで指定したフォントが適用されます。

● 文字のサイズを変更する場合

ビューアにあるフォントのボタン（ ）の右にある自動と表示されている所がフォントのサイズです。その右にある（ ✓ ）をクリックするとフォントのサイズが表示されます。図のように、一部の文字を選んでサイズを変えることもできます。

● 文字のカラーを変更する場合

カラーはmacOS標準のパネルから選択します。サイズ同様、文字単位でカラーを設定できます。
カラーを変更するタイトル部分を選択して、カラーパネルで色を選択します。

するとタイトルのカラーが変更されます。

タイトルの移動や延長、縮小をする

タイトルの接続は重ねる位置によってコントロールできるのは147ページで説明しました。クリップに接続したあとも重ねる位置を移動して調整することは簡単です。また、タイトルの長さ(表示時間)の延長や縮小も簡単です。

● **タイトルをつまんで位置を調整する場合**

タイトル部分を選択し、左右に動かすことで位置を調整できます。

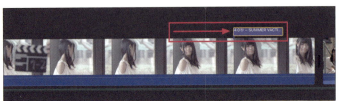

● **タイトルをつまんで表示時間を調整する場合**

タイトルの端(前でも後でも可)を掴んで引っ張ることで、タイトルの長さ(表示時間)を増やしたり、減らしたりできます(クリップを伸ばしたり縮めたりする時と同じ要領です)。

● **タイトルを隣のクリップまでかける場合**

タイトルはクリップの境界を越えて、隣のクリップまで引っ張ることができます。

タイトル一覧と作例

タイトルは54種類のプリセットが用意されています。ここではいくつか紹介します。

●「焦点を調整する」タイトルプリセット

背景になるクリップをぼかし、その上にタイトルが載るものです。ぼかした背景にクッキリとした文字が載る印象的なタイトルで、クリップの途中から適用するとより効果的です。

焦点を調整

●「エコー」タイトルプリセット

メインテキストを大きく半透過させて二重で表示するものです。
プロでも手間の掛かるデザインを一瞬で使えるのもiMovieの特徴です。

エコー

● 「オーガニック」タイトルプリセット

テキストが書き文字のように現れるにつれて、周囲に飾り模様が描かれていくものです。華やかな印象を演出できます。クラシカルでお洒落なタイトルワークです。

オーガニック（主）

タイトルプリセットの一覧

次のようなタイトルプリセットがあります。

イメージ	名称	説明
	スライド	画面下から一文字ずつ順番にタイトルが持ち上がってくる
	下三分の一（スライド）	スライドタイトルを画面下段に表示する
	分割	中央からタイトルが左右に拡がってタイトルになる
	下三分の一（分割）	分割タイトルを画面下段に表示する
	クロマティック	鮮やかな赤と青のテキストが左右から現れ、1つのタイトルになる
	下三分の一（クロマティック）	クロマティックタイトルを画面下段に表示する
	標準	3段組のタイトルが奥から手前へ進んでくる
	下三分の一（標準）	標準タイトルを画面下段に表示する
	伸長	1行のタイトルが奥から手前へ進んで来て消える
	下三分の一（伸長）	右下に小さく1行のタイトルが表示されて消える
	表示	1行のタイトルが暗闇から現れて消える
	下三分の一（表示）	左下に小さく1行のタイトルが暗闇から現れて消える
	焦点	焦点の合わない1行のタイトルが手前から現れてやがて焦点が合う
	下三分の一（焦点）	左下に小さく焦点の合わない1行のタイトルが手前から現れてやがて焦点が合う
	線	真ん中に水平線が表示され、その上下に1行ずつタイトルが表示される
	下三分の一（線）	右下に小さく水平線が表示され、その上下に1行ずつタイトルが表示される
	ポップアップ	1行のタイトルが伸び上がって表示され、伸び上がって消える
	下三分の一（ポップアップ）	左下に小さく1行のタイトルが伸び上がって表示され、消える
	引力	遅れて1文字目だけが上から落ちて来て、1文字目が最後に消える
	下三分の一（伸長）	右下に小さく1行のタイトルが表示されて消える

イメージ	名称	説明
	プリズム	1行のタイトルがプリズムに屈折しているかのように表示され、消える
	下三分の一（プリズム）	右下に小さく2段組のタイトルがプリズムに屈折しているかのように表示されて消える
	中心	画面の中心に2段組のタイトルが表示されて消える
	下三分の一	画面の下側の真ん中に2段組のタイトル表示されて消える
	下	右下に小さく1行のタイトルが表示されて消える
	上	左上に小さく2段組のタイトルが表示されて消える
	エコー	右下に小さく2段組のタイトルと、それら背面に大きな名前が1行表示されて消える
	オーバーラップ	画面の下に「名前」と「説明」が左右から登場して、交差して左右に離れていく
	四隅	右と下からタイトルが2段組で登場して、やがて左と上へ消えていく
	エンドロール	映画のエンディングのように下から上へロールアップして消える

イメージ	名称	説明
	ドリフト	左と右からタイトルが1行ずつ登場して、交差して消えていく
	横方向にドリフト	斜め奥と手前からタイトルが1行ずつが表示され、交差して消えていく
	縦方向にドリフト	上下からタイトルが1行ずつが登場して、交差して消えていく
	ズーム	タイトル2段組が若干ズームぎみに表示されて消えていく
	ブラー（横）	強いにじみでタイトルが表示されて消えていく
	ソフトエッジ	真ん中より下側にタイトルが現れて消えていく
	レンズフレア	レンズが光る印象の輝きを見せて1行のタイトルが現れて消えていく
	焦点を調整	背景をぼかして2行のタイトルに焦点をあてて表示させ、やがて消える
	ブギーライト	いくつかの輝きを表示して1行のタイトルを表示し、輝きを表示して消える
	ピクシーダスト	左方向から輝きの粒子をまき散らしながら1行タイトルを表示して消える

イメージ	名称	説明
	オーガニック（主）	模様と共に1行タイトルを表示して消える
	オーガニック（低）	下三分の一にアニメーション効果を持つ帯を付けて1行タイトルを表示する
	ティッカー	下1行の部分に、右方向からタイトルが表示されて流れていく
	日付／時間	左下に時刻と日付を表示して消える
	雲	下三分の一に名前の雲と説明の雲がアニメーション効果で動きながら表示されて消える
	遠くへ	手前から奥へ向かって文字が流れていきます
	グラデーション・白	下三分の一にグラデーションの帯を表示して、その上に2段組のタイトルを表示させて消える

イメージ	名称	説明
	ソフトバー・白	下三分の一に白い帯を表示して、その上に2段組のタイトルを表示させて消える
	ペーパー	下三分の一に紙片の帯を表示して、その上に2段組のタイトルを表示させて消える
	フォーマル	下三分の一に白い帯を表示して、その上に2段組のタイトルを表示させて消える
	グラデーション・黒	下三分の一に黒い帯を表示して、その上に2段組のタイトルを表示させて消える
	ソフトバー・黒	下三分の一に黒い帯を表示して、その上に2段組のタイトルを表示させて消える
	トーンエッジ・黒	右側下三分の一に黒い帯を表示して、その上に2段組のタイトルを表示させて消える
	トーンエッジ・白	右側下三分の一に白い帯を表示して、その上に2段組のタイトルを表示させて消える

作例で学ぶ動画編集の基本

SECTION

キーワード ▶ サウンド／BGM／効果音

25 BGMや効果音をつける

映像に音楽（BGM）をつけたくなるときがあります。効果音も同様です。iMovieには数百種類の効果音と、7曲のテーマBGM（どれも1分前後）、ジングルと呼ばれる数秒から2分程度の音楽が内蔵されています。また、著作権上、個人的な使用に限定されますが、Macのミュージックアプリに読み込んだCDなどの音源も使うことができます。

クリップにサウンドをつける

iMovieでBGMとして利用できる音楽や効果音などの音源は、ミュージックやApple TV、サウンドエフェクトから読み込みます。音楽や効果音はブラウザ上部にあるオーディオとビデオから読み込みます。

ライブラリ	機能
ミュージック	Macのミュージックアプリに読み込まれた音楽ファイル
Apple TV	MacのTVアプリに読み込まれた動画ファイル
サウンドエフェクト	iMovieに内蔵されている効果音と音楽ファイル

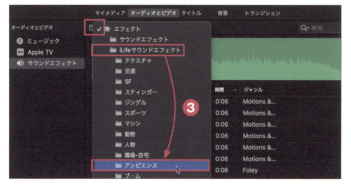

 オーディオにアクセス

コンテンツライブラリからオーディオとビデオを選択します。

 アクセス先を選ぶ

オーディオとビデオのサイドバーからサウンドエフェクトを選択します。ちなみにこのオーディオとビデオサイドバーは、それぞれ違うライブラリにアクセスします。

 ジャンルを選ぶ

「 」アイコンのエフェクトからiLifeサウンドエフェクト➡アンビエンスを選択します。アンビエンスはここでは環境音といった意味で使われています。

 曲を聴いて選ぶ

Forest（森）を選び、頭に表示される▶ボタンを押すとプレビュー再生されます。この森の音をビデオの背景に流す環境音として使いましょう。

 選んだ曲をタイムラインへ

Forestをドラッグ＆ドロップでタイムラインに重ねるように接続します。

 曲の位置は後から変更可能

タイムラインに配置して接続したオーディオクリップは、左右にスライドさせて自由に位置を変えることができます。

 不要部分を消す

不要部分があれば、後半をカットして短くすることもできます（前半のカットも可能）。

※このあたりの挙動はタイトルと同じです（150ページ）。

BGMをつけよう

BGM（音楽）にはiMovieに内蔵された音源と、CDや音楽配信サイトからミュージックアプリに読み込んだ音楽ファイルがあります（こちらは著作権に注意してください）。
BGMの設定は次の3種類から読み込むことができます。

①テーマBGMから選ぶ
②ジングルから選ぶ
③ミュージックから選ぶ

・テーマ BGM から BGM を選ぶ場合

エフェクト➡テーマBGMをクリックする。iMovieのテーマ機能（170ページ）用に用意された60秒前後の音楽です。テーマとは無関係に使用することができます。

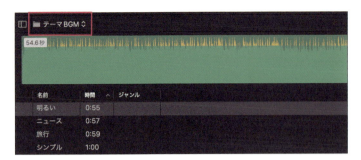

・ジングルから BGM を選ぶ場合

エフェクト➡iLifeサウンドエフェクト➡ジングルをクリックする。iMovieで自由に使える数秒から2分程度の音楽。短いものはシーンの切り替えのときに効果音的に使える。

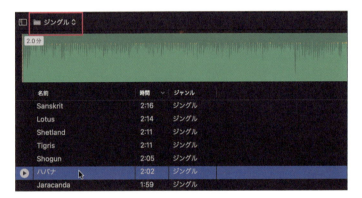

・ミュージックから BGM を選ぶ場合

ミュージックにはミュージックアプリに読み込んだCDなどからダウンロードした曲が保存されています。その中から選択してタイムラインへ配置することができます。

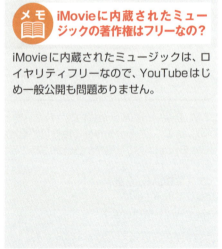

メモ iMovieに内蔵されたミュージックの著作権はフリーなの？

iMovieに内蔵されたミュージックは、ロイヤリティフリーなので、YouTubeはじめ一般公開も問題ありません。

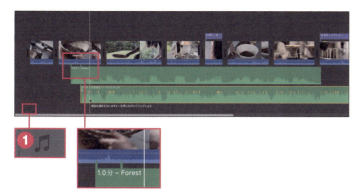

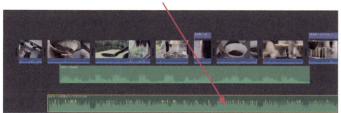

 ドラッグ&ドロップでタイムラインへ

選んだファイル（ハバナ）をドラッグ＆ドロップでタイムラインのクリップに接続します。オーディオクリップはビデオクリップに対し、重複して（重ねて）接続できます（オーディオは同時再生されます）。

 ビデオクリップに接続

オーディオクリップがビデオクリップに接続されている状態になりました。

 音楽専用トラックを使う

BGMなどを接続するとき、ビデオクリップに接続せずにタイムラインの下段にある♪マーク❶のエリアに配置することもできます。

この♪エリアに配置されたオーディオクリップはビデオクリップを削除したり入れ替えても影響を受けないので、BGMありきで編集するときに便利です。

ナレーションを録音する

アフレコとは、アフターレコーディングの略で、あとから音声を追加録音することです。

タイムラインのプロジェクトを選択中の場合、ビューアの左下には「アフレコを録音」アイコンが表示されます。（ブラウザのクリップを選択中の場合は、♡／×マークが表示されます（113ページ）。

 録音準備

「アフレコを録音」をクリックします。

 録音モードになる

再生系のボタンがアフレコ用ボタンに変わります。

左から①レベルメーター、②録音ボタン、③オプションボタンになります。

 必要に応じてオプション設定

オプションボタンをクリックするとアフレコオプションが表示されます。

 入力ソースの選択

入力ソースを選びます。つまりMacの内蔵マイクを選ぶか、オーディオ端子につないで外部から入力するかという選択になります。
ここでは内蔵マイクのないMac Pro 2019を使っているのでオーディオ端子に繋いだ外部マイクを選択しています。

※入力ソース：アフレコ音源の入力元です。MacBookAirやiMacなら内蔵のマイクが使えます。

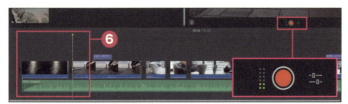

 リハーサル

マイクに向かってリハーサルを行い、レベルメーターを見ながら音量を調整します。

 開始位置の設定

再生ヘッドをタイムラインのアフレコを開始したい場所に合わせます。これで準備ができました。

 録音開始

録音ボタンをクリックします

 カウントダウン

録音ボタンをクリックすると、マウスポインタを置いた位置（アフレコを開始したい位置）の3秒前から再生が始まり、ビューアにカウントダウンが表示されます。

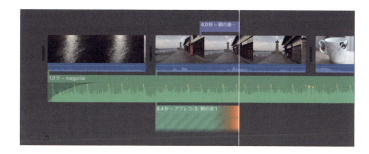

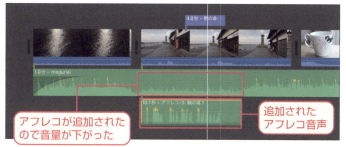

アフレコが追加されたので音量が下がった　　追加されたアフレコ音声

 手順9　実際の録音スタート

カウントダウン終了後、録音が始まります。ビューアは再生を続け、タイムラインには新しいオーディオクリップが録音中の赤色と共に追加されていきます。

 手順10　録音を停止する

録音ボタンをクリックすると録音が止まります（スペースバーを押すのでも可）。

 手順11　アフレコクリップができた

新しいオーディオクリップが追加されました（波形がアフレコ音声です）。このとき、アフレコされた部分と重なるほかのオーディオの音量が下がっています。これはアフレコ音声を際立たせるための自動処理です。

 手順12　音量自動処理を止めるには

アフレコ部分の自動処理（他のクリップ音量を下げる）をしたくない場合は、調整バー➡ボリュームから「ほかのクリップの音量を下げる」チェックボタンを外すか、調整スライダーでボリュームを調整します。

 オーディオの音量を下げたくない場合

これをしたくない場合は、調整バー➡ボリュームから「ほかのクリップの音量を下げる」チェックボタンを外すか、調整スライダーでボリュームを調整します。

SECTION

キーワード▶ボリューム／イコライザ／フェードイン／フェードアウト

26 オーディオ音響効果の調整をする

クリップの音量（ボリューム）を上げ下げしたり、人の声を強調したり、といったオーディオ関係の調整について説明します。また、BGMや効果音をフェードインさせたり、フェードアウトさせる手法についても説明します。

ボリュームを調整する

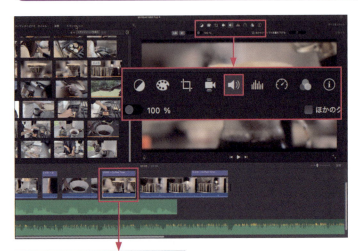

オーディオの音量を調整する方法は次のとおりです。

 **クリップを選択**

音量を調整したいクリップ（オーディオクリップでもOK）を選択します。

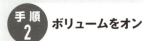 **ボリュームをオン**

調整バー➡ボリュームをクリックすると、調整スライダーが表示されます。

 **音量を上げる**

スライダーを右に動かすとボリュームがアップします。

手順4 音量を下げる

スライダーを左に動かすとボリュームがダウンします。0%になるとオーディオがゼロ（なし）の状態になります。

オーディオ間のバランスを調整する

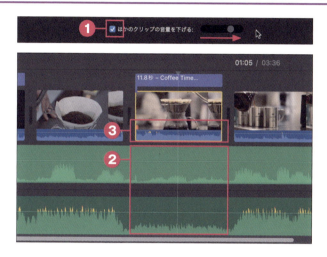

音量スライダーの横に「ほかのクリップの音量を下げる」チェックボタンと調整スライダーがあります。
「ほかのクリップの音量を下げる」に✓を入れる（❶）と、その同じ区間にある他のオーディオのボリュームが下がって（❷）、メインの音が際立つ（❸）のがわかります。
この作例でいえば、環境音とBGMの音量が下がって、珈琲を淹れている音が際立つというわけです。

「ほかのクリップの音量を下げる」の調整スライダーを併用すると、他のクリップのボリューム下げ幅を調整できます。
この例ではビデオクリップの音（ここでは珈琲を入れる音）を強調しましたが、逆にBGMを強調してビデオの音を下げることもできます。

雑音を減らす

調整バー ➡ ノイズリダクションおよびイコライザ ➡ 背景ノイズを軽減
を使うと、撮影時に混じった周囲の雑音を抑制できます。
これも効果のレベルをスライダーで調整できますが、必ずしも欲しい音（例えばひとの喋り声）と雑音を綺麗に分離できる訳ではないので、調整しながら試行錯誤をお勧めします。

イコライザでオーディオの音質を調整する

イコライザを使うと、オーディオの音質を調整できます。
※イコライズ量の調整はできません。
ノイズリダクションおよびイコライザボタンを押すと、オーディオ加工設定が現れます。

「背景ノイズを低減」にチェックを入れるとノイズリダクション機能が働きます。
ノイズリダクションは、同録音声に混じる環境音（背景ノイズ）の雑音を軽減してくれるフィルタで、％（パーセンテージ）の数値で調整することができます。
万能ではありませんが例えば、会話のうしろでクルマのエンジン音などのノイズをイイ感じに抑制してくれます。
イコライザは、音の強弱を変化させるといった音を加工するフィルタの事で、9種類のプリセット設定があります。
イコライザを使うと声をはっきり目立たせたり、高音域と低音域だけを強調させたりといったことができます。
イコライザの9種類のプリセットを表にまとめてみました。

イコライザの種類	機能
フラット	イコライザ（音質加工）を使用していない状態
ボイスエンハンス	人の声を強調する
ミュージック強調	音全体を強調する設定
ラウドネス	高音域と低音域を強調し、メリハリのある音にする
ハムリダクション	ジーッというノイズ（ハムノイズという）を抑制する
低域増強	低音域を強調する設定
低域軽減	低音域を抑制する設定
高域増強	高音域を強調する設定
高域軽減	高音域を抑制する設定

フェードイン/フェードアウト

オーディオの音量がじわじわ大きくなるのをフェードイン、小さくなるのをフェードアウトといいます。
ストーリーの最初や終わりに使われることが多いほか、環境音をそっと入れるときにも使います。

・フェードイン

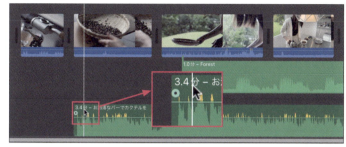

手順1 フェードインマークを表示させる

オーディオクリップ（ここではBGM）の先頭部分にポインタを持って行くと、先端に マークが現れます。

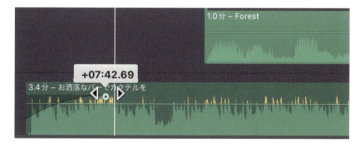

手順2 フェードを作成

この をマウスでドラッグするとクリップの端から右方向に向かって曲線が描かれます。これがフェードインの音量カーブです。操作中はフェードインの秒数が表示されます。
例えば、＋07：42.69（：の前が秒。後がコンマ秒です）

フェードアウトも同等の操作です。オーディオクリップ単位で操作できます。 をマウスで左方向へドラックします。
オーディオクリップの中程にある薄い横線がボリュームです。

・フェードアウト

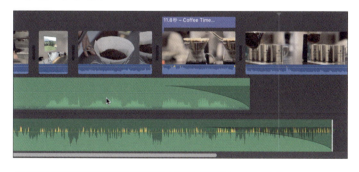

 クリップ上で音量を調整する

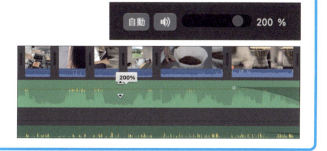

　ボリュームは調整バー ➡ ボリュームを押すと、調整スライダーで調整しますが、この横線を上下することでも可能です。波形のオレンジ部分が多くなりすぎないようにするのがコツです。

SECTION　キーワード▶クリップフィルタ／オーディオエフェクト

27 クリップフィルタとオーディオエフェクト

ビデオの雰囲気を変えるのがフィルタ（エフェクト）です。ソフトフォーカス風に光を滲ましたり、レトロなフィルムルックにしてみたり、ちょっとお洒落なクリップフィルタのプリセットが34種類、iMovieに内蔵されています。

同様にオーディオの印象を変えるオーディオエフェクトも19種類内蔵されています。

映像用の特殊効果：クリップフィルタ

映像用の特殊効果を「クリップフィルタ」といい、映像を様々な雰囲気で表現することができます。これには34種類のクリップフィルタがあります。

●クリップフィルタを使ってみる

 手順1　クリップを選択

対象となるクリップを先に選択しておきます。

 手順2　フィルタをオン

ビューアの上にある調整バー➡クリップフィルタとオーディオエフェクトを選択します。

 手順3　フィルタ一覧を表示するには

クリップフィルタは初期状態では「なし（オフ）」です。なしのエリアをクリックします。

使用するクリップ
フィルタを選ぶ

 一覧が表示された

フィルタのプリセット一覧が表示されます。

 プレビューで確認

そのとき選んでいるクリップのビデオがフィルタ適用後の状態でプレビュー画面に表示されます。
一覧から使いたいフィルタをクリックで適用されます。
サムネイル上にマウスポインタを合わせると、ビューア画面でエフェクトをプレビューしてくれます。その状態でクリックするとエフェクトが適用されます。

クリップフィルタの適用例

●サイレント

昔の無声映画風です。モノクロにフィルムキズやヴィネット（周辺光量減衰）が表示されます。

●ロマンチック

ややソフトフォーカス調で光を滲ませます。

●SF

SF映画ってこんなイメージ？と疑問もありますが、独特の色味とコントラストで表示されます。

●コミック（ビンテージ）

コミック（着色線画）風のフィルタは複数ありますが、その中でもレトロ風の表示になります。

音響用の特殊効果：オーディオエフェクト

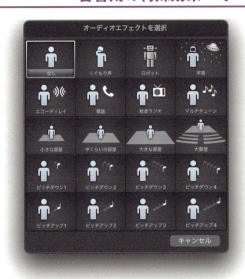

音響用の特殊効果のことをオーディオエフェクトといい、音に対して様々な効果をもたらします。これには19種類のエフェクトがあります。

これらの一覧を見ると、すでにサムネイルが特殊効果を適用したプレビューになっているので、どのような特殊効果がかかるかの内容をイメージしやすいと思います。

ここでは手順のみを説明します。

オーディオエフェクトの適用例

オーディオエフェクトの使用方法もフィルタと同じです。オーディオのエフェクトは誌面では伝えにくいので、ぜひ試行錯誤してみてください。

 エフェクトをかけるクリップを選ぶ

クリップフィルタをかけるには、対象とするクリップをタイムライン上から選択したあと、ビューアの上にある調整バー➡クリップフィルタとオーディオエフェクトを選択します。

 オーディオエフェクトを選択する

そして表示されるオーディオエフェクトの「なし」の部分をクリックします。

 オーディオエフェクトを選ぶ

オーディオエフェクトの選択画面が表示されます。サムネイル上にマウスポインタを合わせると、ビューア画面でエフェクトをプレビューしてくれます。その状態でクリックするとエフェクトが適用されます。

以上がオーディオエフェクトの設定手順になります。

SECTION キーワード▶テーマ

28 テーマを使って映像作品の統一感を演出する

iMovieが、ほかの動画編集アプリと異なる大きな特徴は、Appleのお洒落なセンスをムービーに反映する機能が用意されていることです。それが「テーマ」になります。いわばレシピのようなテンプレートといえます。

みなさんが時間をかけてじっくり作った映像作品でも、凝ったエフェクトやトランジションが満載で、タイトルなどもバラバラだと、ちぐはぐな印象の作品に仕上がってしまいます。しかし、iMovieの「テーマ」を使えば、映像作品として統一感のあるムービーに仕上げることができます。

13種類のテーマと作例

テーマは統一感のあるタイトルやトランジション（画面の切り替わり）で構成されていて、作品の雰囲気を合わせるものになっています。
テーマは13種類あります。

❶コミックブック
❷シンプル
❸スクラップブック
❹ニュース
❺ネオン
❻フィルムストリップ
❼フォトアルバム
❽モダン
❾報道番組
❿愉快
⓫掲示板
⓬旅行
⓭明るい

これらは編集中のいつでもプロジェクト設定から呼び出して、適用もしくは変更が可能です。

テーマを選んで映像作品らしくする

・旅行

テーマをクリップに適用すると、タイムラインに独特な背景やトランジション、タイトルを持つプロジェクトに仕上げることができます（図はテーマ「旅行」を使用した例）。

・フィルムストリップ

・報道番組

・フォトアルバム

・ニュース

・愉快

スクラップブックのテーマで試してみよう

 設定をクリック

タイムラインの右肩にある「設定」をクリックします。

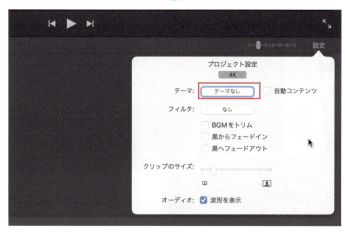

 プロジェクト設定が開かれる

プロジェクト設定が開きます。ここでは「白紙状態のプロジェクト（83ページ）」の時に設定をしますが、後述するようにすでに編集されたプロジェクトに対してもあとから設定できます。
テーマ（初期状態はテーマなしになっている）をクリックします。

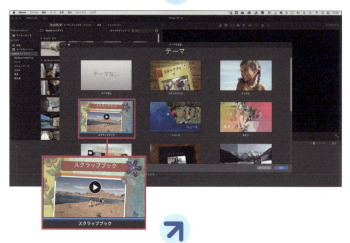

 テンプレートからテーマを選択

テーマテンプレートが表示されます。（13種類）今回はスクラップブックを例にするので、スクラップブックを選択し「変更」ボタンを押します。

 手順4 テーマが適用されたタイムライン

見た目はなにも変わりませんが、タイムラインにはすでにテーマ「スクラップブック」が適用されています。いくつかのクリップをタイムラインに追加してみましょう。1つずつ追加しても、まとめて追加しても、どちらでも大丈夫です。

 手順5 適用されたテーマをチェック

クリップを追加しただけなのに、オープニングやエンディング、途中のトランジションが適用されています。

❶ 最初のクリップにオープニングタイトル

❷ スクラップブック専用のトランジション

❸ 最後のクリップにエンディングタイトル（自動でMacのユーザー名が入力される）

オープニングタイトルの修正

●修正前

●修正後

オープニングタイトルのタイトル名は、プロジェクト名になっているので、作品のタイトルを考えて打ち直します。斜めに配置された背景イラストの中にタイトルが収まりました。

テーマ専用のトランジション（自動コンテンツ）

自動コンテンツは各テーマの専用トランジションです（ふつうのトランジションとは別に、ブラウザのトランジションの上に掲示されています。そこから手動でクリップ間に挿入することも可能です）。

自動コンテンツに☑を入れることでオンになり、選択されたテーマのために作成されたトランジションが設定されます。

ただ、トランジションはもっとオーソドックスなもの（例えばクロスディゾルブなど）が好きな人もいるでしょう。

その場合は自動コンテンツの☑を外すだけで、トランジションをクロスディゾルブに変更できます（ほかのトランジションに再変更することもできます）。

フィルタエフェクトの設定

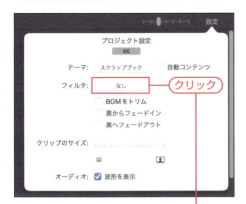

ビデオのルックを演出するフィルタは、166ページのクリップフィルタと同じものです。ただし、166ページで解説したクリップフィルタは文字どおりクリップ単位で適用されるフィルタで、このプロジェクト設定のフィルタはプロジェクト（作品）全体に適用されることが異なります。

・ヒートウエーブを適用した例

このように作品全体を統一されたルックトーンにするために使います。

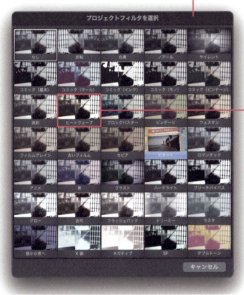

そのほかの設定

●BGMをトリム

BGMとして設定されたオーディオクリップをビデオクリップの終わりに合わせてトリムする機能。プロジェクトの編集に連動してオーディオが伸びたり縮んだりして、つねに映像の終わりに音楽が終わるように調整されます。

BGMがトリムされた

●黒からフェードイン

プロジェクトの冒頭を黒からビデオが浮かび上がってくるフェードインにします。
最初のクリップの先端に「■」のアイコンが付きます。

● 黒へフェードアウト

プロジェクトのラストシーンを黒に消えていくフェードアウトにします。最後のクリップの末尾に「■」のアイコンがつきます。

🔧 裏技　**テーマ設定以外でフェードインをするには**

テーマを使わずフェードインで始めたいときもあるでしょう。
そんなときは❶プロジェクトの最初のクリップを選びコンテキストメニューを表示、❸**クロスディゾルブを追加**を選択します。
❷クリップの先端部に▶◀アイコンが現れ、何も無い空間とのクロスディゾルブ、結果的にフェードインを作成します。❹このフェードインはクロスディゾルブと同様に長さ（継続時間）を変更できます。

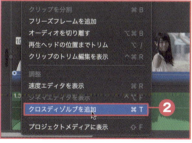

SECTION 共有(書き出し)／メール／YouTube／Facebook

29 書き出し(共有)と YouTube

編集が終わっても、その状態ではiMovie上でしか作品を見ることができません。ほかのパソコンやスマートフォンで再生できる形式に変換して保存することをアップルでは「共有」と呼びます。目的別の共有の方法について説明します。

共有

動画を共有する方法はいろいろとあります。iMovieでは、次の4通りを選べます。

①メールに添付して送信する
②YouTubeおよびFacebookに動画をアップする
③現在のフレームを保存する(静止画で書き出す)
④(ムービー)ファイルを書き出す

共有はプロジェクト画面、編集画面のどちらからでも行うことができます。

・プロジェクト画面から行う場合

プロジェクトアイコンを選ぶ

書き出し(共有)したいプロジェクトの右下にあるアイコンをクリックします。

共有方式を選ぶ

プロジェクトを共有➡共有方法を選びます。

・編集画面から行う場合

手順1 共有ボタンをクリック

ビューアの右上の「ツールバー」の右端にある「共有ボタン」をクリックします。

手順2 共有方式を選ぶ。

・メール
・YouTube およびFacebook
・現在のフレームを保存
・ファイル

※現在のフレームを保存だけ、編集画面からのみ選択可能ですが、それ以外の共有方法はプロジェクト画面あるいは編集画面のどちらから選択しても同じ結果になります。

メールに添付して送信する場合

メールを選びます。メール共有用の設定画面が表示されます。メール送信に適したフォーマットで書き出し（共有）するほか、共有したファイルを自動的にメールに添付します。

手順1 ファイル名は変更可能

ファイル名はプロジェクト名が自動的に入力されますが、ファイル名をクリックして打ち直すこともできます。

手順2 動画が正しいかチェック

プロジェクトのサムネイル。この上でマウスポインタを滑らせるとそれに連動してサムネイルがスキミング再生されます。

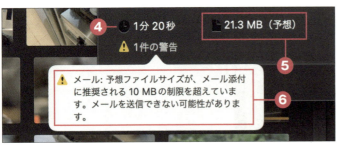

 **解像度を選ぶ**

解像度の設定をします。

 動画秒数の確認

プロジェクトの秒数（継続時間）が表示されています。

 想定ファイルサイズ

手順3で選んだ解像度に応じた想定ファイルサイズ（容量）が表示されます。

 警告が出ることも

想定ファイルサイズが10MBを超えると警告が出ます。❸の解像度を落とすか、無視して共有することもできます。

 メールに自動添付

共有されたファイルは自動的にメールアプリに添付されます。そのとき、メールの件名はプロジェクト名（もしくは❶で打ち直したタイトル）になっています。

YouTubeおよびFacebook用の動画ファイルを作る

 手順1 共有ボタンをクリック

ビューアの右上の「ツールバー」の右端にある「共有ボタン」をクリックする

 手順2 SNS用共有

YouTubeおよびFacebookを選びます。共有設定画面が表示されます。

 手順3 解像度設定して書き出す

解像度を設定します。この設定は元のプロジェクト解像度によって選択肢が変わります。

それ以外の部分はメール共有と同じです。ただしメール共有と異なり、自動的にYouTubeやFacebookにアップロードは行われません。以前のiMovieでは自動アップロード機能もありましたが、セキュリティ上、機能が削除されたようです。

現在のフレームを保存

タイムラインで再生ヘッドが置かれた位置のフレーム（1コマ）を静止画（Jpeg）に変換して保存します。
解像度は動画解像度が適用されます。縮小した静止画を保存することはできません。

 共有ボタンをクリック

ビューアの右上の「ツールバー」の右端にある「共有ボタン」をクリックします。

 フレーム（コマ）を保存

「現在のフレームを保存」をクリックします。

 名前を付ける

保存するファイルの名称を入力します。保存場所を変更することもできます。

 動画から写真ができた

静止画ファイルが書き出されます。

ファイルを書き出す

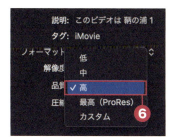

ファイル書き出しは、ほかのPCやタブレット、スマートフォンで再生するための形式です。設定によりますがiMovieからもっとも高品質な動画を書き出すことができます。

 共有ボタンをクリック

ビューアの右上の「ツールバー」の右端にある「共有ボタン」をクリックする

 ファイルを書き出す設定

「ファイルを書き出す」を選びます。共有設定画面が表示されます。

 ファイル名を確認もしくは変更

ファイル名はプロジェクト名が自動的に入力されます。ファイル名をクリックして打ち直すこともできます。

 サムネイル確認

プロジェクトのサムネイルが表示されます。この上でマウスポインタを滑らせるとそれに連動してサムネイルがスキミング再生されます。サムネイルの左下にプロジェクトの秒数（継続時間）、右下に設定に応じた想定ファイルサイズが表示されます。

 解像度設定

解像度の設定をします。元のプロジェクト解像度が上限です。

 品質（画質）設定

品質を設定します。低〜高は、順に高品質になります（ファイルサイズも比例して大きくなります）。

手順 7 品質設定のヒント

品質のうち、カスタムは手動で映像のビットレートを設定するときに使います。Mbps（Mega bit per seconds）の値が小さいほど低品質（軽いファイル）に値が大きいほど高品質（重いファイル）になります。左下の予想ファイルサイズを見ながら調整するのが良いでしょう。重いファイルは綺麗ですが、データを送るにも時間が掛かり、非力なマシンではコマ落ちすることもあります。

手順 8 圧縮設定

圧縮は、品質優先の方が高品質なファイルを書き出せますが、書き出しに時間が掛かります。急ぐときは高速を使います。

注意 品質設定でProResは使わない

品質のうち、最高（ProRes）は非常に高品質なファイル形式ですが、ProResコーデックに対応したパソコンなどでないと表示ができませんし、対応していても（ProResの）ファイルサイズが桁違いに大きいので非力なマシンではコマ落ちして再生できません。この選択は業務編集に渡すときなどの特殊用途以外は使わないようにします。

YouTubeで動画公開する

SNSなどに動画を投稿するにはそれぞれのSNSの操作方法ページを調べる必要がありますが、ここでは代表的な動画共有サイトであるYouTubeに動画をアップロードして公開する手順を紹介します。
事前にYouTubeにアカウントを作ってログインしておく必要があります。

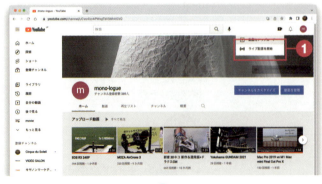

手順 1 アップロードを選択

YouTubeページ右上のビデオカメラアイコンを押し、表示される選択肢から「動画をアップロード」を選びます。

 アップする動画を登録

アップロードウインドウが表示されるので、183ページで書き出した動画ファイルをドラッグ＆ドロップします。

 公開タイトルを付ける

動画の詳細設定を行います。③はファイル名が自動入力されますが、打ち換えて任意の題名にすることができます。

 説明も付けるのが親切

説明を加えましょう。

 表示サムネイルを選べる

動画の1シーンをサムネイルとして設定します。別の静止画をアップロードしてサムネイルにすることもできます。

 難しい設定はしないでOK

この2項目は取りあえずそのままで大丈夫です。

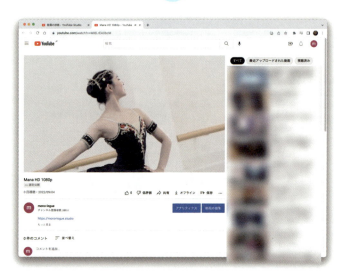

 手順7 公開設定は慎重に

これは重要な設定ポイントです。

下段の表を参考に、動画を見ることができる範囲を設定しましょう。

公開の種類	機能
非公開	アップロードした本人のみが見ることができます。最初、非公開でアップして、中身を良くチェックしてから公開するのがお勧めです。
限定公開	動画リンクからのみ見ることができます。友人、サークル、親戚など、関係者のみに見せたいときに使います。
公開	誰でも動画を見ることができます。

 手順8 公開された

You Tubeに登録されました。

SECTION キーワード▶環境設定／スローモーションクリップ／写真／トランジション／レンダリングファイル

30 環境設定

iMovieはそのままでも充分に使いやすい設計がされていますが、使う人にはそれぞれ好みがあります。例えば、トランジション（115ページ）は3秒が気持ちいいとか。そんなとき、初期の1秒から3秒に変更するのは簡単ですが、最初から3秒になっている方が便利ですよね。環境設定は、いくつかの初期設定をカスタマイズします。

環境設定する

環境設定を開くには、iMovieメニューから「環境設定」を選びます。環境設定では5つの設定ができます。

環境設定	機能
①スローモーションクリップ	スローモーションを自動的に適用する／適用しないを設定する
②写真の配置	Ken Burns（デフォルト）／合わせる／サイズ調整してクロップを設定する
③写真の継続時間	写真をタイムラインに追加するときのデフォルトの継続時間（4.0秒）
④トランジション	トランジションをタイムラインに追加するときのデフォルトの継続時間（1.0秒）
⑤レンダリングファイル	レンダリングファイルを削除して、空き領域を増やす

●スローモーションクリップ

初期状態はオン（✓）30fpsを超えるフレームレートで撮影された動画クリップをiMovieに読み込むとき、自動的にスローモーション効果を適用します。

●写真の配置

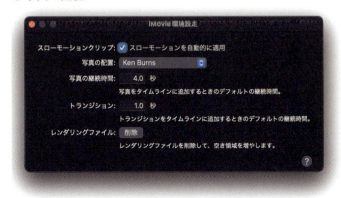

写真の配置	機能
合わせる	写真を自動的に拡大縮小し、画面のアスペクト比（横縦比）に合わせます。写真を切らない（クロップしない）ため、左右もしくは上下に黒い帯が表示されます
サイズ調整してクロップ	写真を画面いっぱいにぴったり合わせるように拡大縮小します。そのため写真の上下もしくは左右が切られる（クロップされる）ことがあります
Ken Burns	写真をズームするエフェクトを自動的に適用します。自動適用後に、手動で調整することもできます

●**写真の継続時間**

写真をタイムラインに追加したとき、デフォルト（初期設定）で何秒にするか、を設定できます。

●**トランジション**

トランジション（54ページ）をタイムラインに適用するときの、デフォルト（初期設定）秒数を設定します。

●**レンダリングファイル**

エフェクトをかけたり、タイトルを載せたりしたプロジェクトをスムーズに再生するために、iMovieはバックグラウンドでレンダリング（演算）を行い、加工済みのクリップを作ります。

そのため、快適な操作感が得られるのですが、レンダリングファイルが多くなるとMacのストレージ容量が圧迫され、新しいファイルを読み込む余地もなくなってしまいます。

レンダリングファイルを削除することで空き容量を増やせます。ただし、再生などがカクカクすることがあります。

また、削除されるのは演算で作られたファイルのみで、iMovieに読み込んだ元のメディア（動画や音声クリップ）は削除されません。

5章

iMovieの編集をもっと便利に

本書を読んで実際にiMovieを使ってみたものの、どうにも不便を感じる…。その原因はもしかしたら使っているデバイスかも知れません。MacやiPhone、さらにはiPadへと編集環境を引っ越すことで、作業がぐっと楽になることもあります。

SECTION

キーワード ▶ 共有／送信

31 プロジェクトを共有してみよう

iPhoneやiPadで作成中のムービーは「プロジェクト」として送信することで、Macを含めた異なるデバイスで編集の続きを行うことができます。この機能を上手に活用すればより効率的に、クオリティの高いムービーに仕上げていくことができます。

MacとiOSのiMovieは同じようで違う

iPhone/iPadのための「iOS」用と「Mac」用のiMovieの編集機能は、お互いにない機能を一部持っています（nページの比較表を参照）。iPhone/iPadは撮影から編集まで1台で完結できますが、操作するための画面サイズは小さくなるため時間かけて凝った作業をするのには不向きです。このためiOS用には「マジックムービー」や「ストーリーボード」といった、少ないクリップで見栄えのよいショートムービーをすぐに作れる機能があります。一方でMacはビデオカメラなどの別機材で撮影したものを、あとからまとめて複数のクリップ素材として使うことが前提です。10～20個（あるいはそれ以上）のクリップを組み合わせて作れる「予告編」だけでなく、「マッチカラー」や「手ぶれ補正」といった作品のクオリティを高めるために欠かせない機能まで用意されています。

マジックムービーはクリップの中から使いたいものを選ぶだけで、iMovieが自動的に編集してくれます。初心者はもちろん、SNSへ頻繁に動画投稿したい人も重宝します。料理やDIYといった人気ジャンルに挑戦するときは、ストーリーボードにどんなシーンを撮ったら良いか教えてもらいましょう。
マッチカラーを使うと外観（色味）が異なったクリップを、同じトーンに統一することができます。また、動きのある被写体を追いかけてぶれ（画面揺れ）た時は、手ぶれ補正を使うことでスムーズに。テレビ番組や映画のように「まるでプロが作ったよう」な仕上げには、Mac用が欠かせません。

 Macからプロジェクト共有はできない

iOSで編集中のプロジェクトはいつでも共有できますが、一度Macに読み込んだプロジェクトを再びiOSへ戻して共有することはできません。

190

編集中のプロジェクトは共有できる

このようにiMovie（とくにiOS用）は完成までの道のりが程よく整備されているため、初心者でもセンスの良い作品が簡単に作れるたいへん優れたアプリです。しかし、本来期待していない使い方（たとえばiPhoneで長編映画を作ったり、Macでストーリーボードと同じものをゼロから編集するなど）をすると、とたんに機能不足になって使いにくくなってしまいます。この問題を解決するには、ほかのデバイスにムービープロジェクトを共有（送信）しましょう。プロジェクトはムービーを編集しているデータがすべて含まれているので、まるごと引っ越して作業を続けることができます。デバイスによって得意な（いちばん手間のかからない）方法で編集し、もし足りない機能があればプロジェクトを共有して引き継ぐ。使いづらさに不便を感じながら無理に合わせるのではなく、いわば「適材適所」で使う環境を切り替えるワークフローが推奨されているのです。

iPhoneはいつでも撮影ができる機動性と、本格的なカメラに負けない高画質が大きな魅力です。ムービーに使いたいクリップやスタイル、順番など決めたらiPadへプロジェクトを共有してみましょう。同じiOS用でも大きな画面で編集するだけでも、ぐっと作業が快適になります。
iOSのストーリーボードも投稿する前に、Macにプロジェクトを共有してマッチカラーや手ぶれ補正を加えればわかりやすい印象になるので視聴者からも好評価をもらえるでしょう。

 メモ　iOSとMac用の主な機能の違い

機能	iOS	Mac
タイトルの付いたクリップの作成	✓	✓
シネマティック・クリップの編集（被写界深度と焦点ポイント）	✓	✓
色補正とカラーバランス	✗	✓
画面の手ぶれ補正とサウンドのノイズリダクション・イコライジング	✗	✓
アニメーションする世界地図（背景）	✗	✓
写真とKen Burnsエフェクトの編集	✓	✓
スマートサウンドトラック	✓	✗
テーマと予告編	✓	✓
マジックムービーとストーリーボード	✓	✗

SECTION キーワード▶共有／送信／プロジェクト／AirDrop／ファイル

32 プロジェクトを送信するには

プロジェクトはムービーで使っているクリップすべてを再編集できる状態で保持しているため、データサイズが大きくなります。このため共有はAirDropを使ってデバイス同士で直接送信、もしくはファイル保存したものを転送する方法を用います。

プロジェクトを準備する

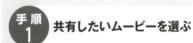

手順1 共有したいムービーを選ぶ

プロジェクトを共有するにはまず、プロジェクトブラウザから送信したいプロジェクトを選択します。詳細画面に切り替わったら「（共有）」をタップします。

手順2 送信するタイプを変更する

共有シートが表示されたら、サムネイルにある「オプション」を選択します。共有するタイプを「プロジェクト」に切り替え、最後に「完了」をタップします。

 タイプを確認するには

正しくタイプが変更できると、タイトルの下にある文字が「ビデオ」から「iMovie：プロジェクトバンドル」になります。

AirDropで直接共有する

 AirDropで送信する

プロジェクトの準備ができたら、他のデバイスと直接共有してみましょう。共有シートから「AirDrop」ボタンをタップすると、近くにあるデバイスがリストアップされてきます。ここから相手を見つけてアイコンをタップすれば、送信が始まります。

 AirDropに相手が表示されない

転送先が表示されない場合は、Appleのサポート記事「MacでAirDropを使う（support.apple.com/HT203106）」または「iPhone、iPad、iPod touchでAirDropを使う方法（support.apple.com/HT204144）」を参照してください。

ファイル保存して共有する

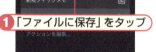

 保存先を選ぶ

AirDropを使わずに（たとえば、別の場所にあるデバイスと共有したいなど）送信したいときは、プロジェクトをファイル保存しましょう。共有シートから"ファイル"に保存」ボタンをタップすると、利用可能な場所が表示されます（ここではiCloud Driveを例として手順を進めます）。

 ファイルを保存する

次にタイトルが「iCloud Drive」となっていることを確認したら、右上にある「保存」ボタンをタップします。これでプロジェクトがファイルとして保存されました。

 プロジェクトの保存場所

プロジェクトはiCloud Driveのようなオンラインストレージサービスを利用するか、iPhone/iPadに外付けディスクを接続して保存するのが一般的です。

SECTION

キーワード ▶ プロジェクトを読み込む

33 プロジェクトを読み込むには

AirDropやファイル保存で受け取ったプロジェクトをデバイスに追加すれば、編集の続きをすぐに行うことができます。iMovieではプロジェクトを直接、またはファイルの場所を指定して読み込むことができます。

AirDropで受信する

 手順1　リクエストを受け入れる

AirDropを使ってプロジェクトを受け取る場合はまず、Macのデスクトップに表示されたリクエスト通知から「受け入れる」ボタンをクリックします。

 手順2　プロジェクトが保存された

データの転送が始まり、完了するとプロジェクトが「ダウンロード」に保存されます。

メモ　iOSのAirDrop

iPhoneとiPadの間でAirDropすると、プロジェクトは自動的にiMovieに読み込まれます。

プロジェクトを開く

 手順1 ファイルを開く

次に、保存したプロジェクトファイルをダブルクリック（または、Finderで「ファイル」＞「開く」メニューを選択）します。

 手順2 プロジェクトが追加される

iMovieが起動し、プロジェクトが追加されました。開くにはダブルクリック（または⋯から「プロジェクトを開く」を選択）します。

 手順3 プロジェクトを開く

これでMacでプロジェクトを編集を続けられるようになりました。

iMovieから読み込む

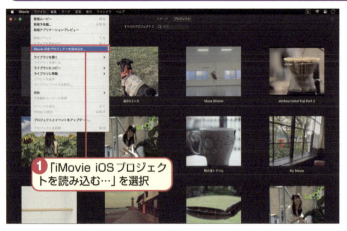

 読み込みメニューを選択する

iMovieを使っているときは直接プロジェクトを読み込むことができます。まず「ファイル」＞「iMovie iOSプロジェクトを読み込む…」メニューを選択します。

メモ iOSの場合

iPhone/iPadではプロジェクトブラウザの右上にある「⊙（メニュー）」ボタンをタップすると表示される「プロジェクトを読み込む」メニューを選択します。

 ファイルの場所を指定する

次にファイルの場所を指定するウインドウが表示されるので、プロジェクトを選んだあとに「読み込む」ボタンをクリックします。

 プロジェクトが追加される

これでプロジェクトブラウザにムービープロジェクトが追加されました。

6章

iOSでもっと「かんたん」ムービー編集

ビデオ編集はかつての難しそうなイメージは消え去り、今では誰でも気軽にネットでシェアできるようになりました。自分も投稿してみようかな、と思った時はiOSのためのiMovieに助けてもらいましょう。想像しているよりもかんたんに、そして素敵なムービーがすぐに作れるようになるはずです。

SECTION キーワード▶iOS のための iMovie

34 iPhone や iPad で iMovie を使ってみよう

iMovie は Mac だけでなく、iOS（iPhone と iPad）でも使うことができます。基本となる編集方法やデザインは同じですが、iPhone のように片手での操作中心のデバイスでも簡単に編集できるように画面や機能が最適化されているのが特徴です。

iOS のための iMovie とは

iOS デバイス（iPhone と iPad）はカメラを内蔵し、また簡単にインターネットに接続できます。このため撮影から編集、SNS などを使った共有といったすべての作業を1台で完結できる大きな魅力を備えています。一方で、持ち運びが優先されるため画面サイズは Mac に比べて小さく、操作方法も指を使った「タッチ」が中心になります。このためムービーの細部を詰めていくような編集方法には不向きといえるでしょう。この点を踏まえて、iOS のための iMovie には「マジックムービー」や「ストーリーボード」という新しい編集方法が追加されています。

●マジックムービー（➡204ページ）

撮影済みのビデオクリップから使いたいものを選ぶと、その映像からベストシーンを特定して自動的にショートムービーを作成します。

●ストーリーボード（➡218ページ）

料理や DIY 解説など SNS でも人気のジャンルを、編集だけでなく内容や撮影方法といった制作に必要なものすべてをサポートしてくれます。

●ムービー（➡216ページ）

Mac 用と同じようにゼロから編集を行います。加えてスマートサウンドトラック（277ページ）など、iOS だけの機能も持っています。

iMovieを使ってみる

1 「iMovie」アイコンをタップ

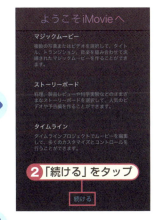

2 「続ける」をタップ

 手順1　iMovieを起動する

iOSでiMovieを使ってみましょう。ホーム画面から「iMovie」をタップすると、アプリが起動して「プロジェクトブラウザ」が表示されます。はじめて起動した場合は「ようこそiMovieへ」が表示されるので「続ける」を選んで先へ進みます。

メモ　iMovieが見つからない場合

iMovieは標準で付属（インストール）していますが、削除してしまっても「App Store」から無料でダウンロードできます。

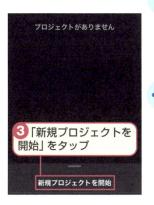

3 「新規プロジェクトを開始」をタップ

4 プロジェクトの種類が選べる

 手順2　新規プロジェクトを開始する

次に「新規プロジェクトを開始」をタップして、シートからつくりたいプロジェクトを選びます（それぞれの詳細な操作方法は、次ページ以降を参照してください）。

iMovieの終了

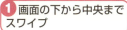

1 画面の下から中央までスワイプ

2 ホーム画面に戻った

 手順1　iMovieを終了する

iMovieを画面の下から中央まで上方向へスワイプすると、ホーム画面に戻ることができます。

SECTION

キーワード ▶ プロジェクト／詳細画面／プレビュー／削除／編集

35 プロジェクトを管理してみよう

iMovieでは、編集中のクリップやタイトル、BGMといったデータをまとめて「プロジェクト」として扱います。最初に表示される「プロジェクトブラウザ」は複数のプロジェクトを切り替えたり、新規作成／削除するなどの管理を行うことができます。

プロジェクトをプレビューする

 プロジェクトを選ぶ

複数のプロジェクトを管理してみましょう。まず「プロジェクトブラウザ」から作業したいプロジェクトを1つ選んでタップすると「詳細画面」に切り替わります。

メモ プレビューをフルスクリーン再生する

詳細画面の下にある「▶（フルスクリーンで再生）」をタップすると、横画面のフルスクリーンでプレビューできます。

 プレビューを再生する

中央の画像には「▶（再生）」があります。これをタップすると、プロジェクトのムービーをプレビューできます。

プロジェクトを開く／閉じる

手順1 プロジェクトを開く

次はプロジェクトを開いてみましょう。「編集」をタップすると、プロジェクトが開いて編集できるようになります。

メモ プロジェクトの編集画面

編集を行う画面は「マジックムービー」「ストーリーボード」「ムービー」ごとにレイアウトが異なります。

手順2 プロジェクトを閉じる

編集を終わりにしたいときには「完了」をボタンをタップすると、詳細画面に戻ります。

メモ ブラウザに戻る

詳細画面の「プロジェクト」ボタンをタップすると、プロジェクトが閉じてブラウザに戻ります。

iOSでもっと「かんたん」ムービー編集

プロジェクトの名前を変更する

 名前を選ぶ

新しく作成されたプロジェクトは、その種類ごとにデフォルト（規定の）名前が割り当てられます。これ変更するには詳細画面で名前が表示されているテキスト部分をタップして、キーボードを表示します。

 名前を入力する

現在の名前は「⊗（消去）」をタップすると消去されるので、新しい名前を入力しましょう。

メモ 文字の消去

1文字ずつ削除したい場合には、キーボードにある「⊗（削除）」を使います。

 名前が変更される

入力が終わったら、キーボードの「完了」をタップします。これで、プロジェクトの名前は変更されました。

プロジェクトを削除する

 「削除」を選ぶ

プロジェクトが不要になったときは、詳細画面の下にある「🗑（削除）」をタップすると、オプションのダイアログが表示されます。

 プロジェクトが削除される

「プロジェクトを削除」をタップすると、すぐに削除が行われてプロジェクトブラウザに画面が戻ります。

 削除は取り消せない

プロジェクトの削除は一度実行すると、取り消すことができないので注意しましょう。

 プロジェクトを複製する

プロジェクトはプロジェクトバンドル形式としてファイル保存したものを、ブラウザから「プロジェクトを読み込む」を使うことで複製ができます。詳しい手順は、5章の「プロジェクトを共有してみよう（190ページ）」か、iMovieのマニュアル「iPhoneのiMovieのプロジェクトで作業をする」を参照してください。

SECTION キーワード ▶ マジックムービー

36 マジックムービーを使ってみよう

家族旅行や成長記録などを素敵なムービーに仕上げるには、たくさんのビデオを撮影しておくのが成功の秘訣。ですが、その中から使いたい部分だけを選ぶのは大変です。マジックムービーを使えば、自動的にベストシーンを特定・編集してくれます。

マジックムービーを使う

 手順1　プロジェクトを作成する

撮影したビデオをマジックムービーで編集してみましょう。まず、プロジェクトブラウザから「新規プロジェクトを開始」をタップして、シートから「マジックムービー」をタップします。

 手順2　ビデオを表示する

次に「メディアを選択」画面から「ビデオ」をタップすると、撮影されたビデオの一覧が表示されます。

手順 3 使いたいビデオを選ぶ

追加したいビデオをタップして選択すると、チェックアイコンが右下に付きます。

手順 4 マジックムービーを作成する

選択が終わったら「マジックムービーを作成」をタップします。すると、ムービーの作成が始まります。

手順 5 プロジェクトが作成された

これでマジックムービーのプロジェクトが作成され、ビデオが「クリップ」としてリストになります。タップすると、プレビューが切り替わり「▶(再生)」でそのシーンから再生できます。

SECTION　キーワード▶クリップ／並び替え／追加／削除

37 マジックムービーの クリップをアレンジしよう

マジックムービーのプロジェクトは作成したあとも、クリップの順番を替えたり追加や削除ができます。追加されたビデオはほかのクリップと同じようにシーンが特定され、全体のBGMも自動的に長さが調整されるため、プロジェクト全体をやり直す必要がありません。

クリップを並び替える

手順1　クリップを選択する

プロジェクトにあるクリップの順番を変更してみましょう。クリップをタッチして押さえたままにすると、リストから浮き上がります。

手順2　クリップを動かす

浮き上がった状態のままドラッグする（上下に動かす）と、クリップが動かせます。置きたい位置まで持ってきたら、指を離しましょう。

メモ　クリップをグループにする

クリップ同士を重ねた状態で指を離すと、1つのグループとして順序をまとめておくことができます。

クリップを追加する

手順1 追加する位置を選ぶ

今度は新しいクリップを追加してみましょう。まず追加したい位置にあるクリップをタップして、次に左下の「＋（追加）」を選択してメニューを表示します。

手順2 クリップを選択する

ここでは「ライブラリから選択」を選びました。使いたいビデオをタップすると、先ほど選択したクリップの次の位置に追加されました。

 クリップを追加する方法

マジックムービーのプロジェクトには、すでに撮影されたビデオや写真をライブラリから選ぶだけでなく、新しいビデオを収録したりタイトル付きのクリップ（214ページ）を追加することもできます。

● **ビデオまたは写真を撮る**
iPhone/iPadのカメラが起動して、その場で撮影したビデオや写真を追加します。

● **ライブラリから選択する**
すでに撮影されているビデオを「写真」アプリから追加します。

● **タイトル付きのクリップを追加する**
撮影済みのビデオに、編集可能なタイトルを付けたクリップを追加します。

クリップを削除する

手順1　クリップをスワイプして削除する

クリップを右から左へスワイプして「削除」をタップすると、プロジェクトから取り除くことができます。

クリップを置き換える

手順1　削除するクリップを選ぶ

追加と削除は「置き換え」で一度に行うこともできます。まず、クリップを選択して「∠（編集）」をタップしてメニューを表示します。

メモ　筆者のiMovie（最新）の場合

・クリップを編集
・ビデオまたは写真を撮り直す
・ライブラリから置き換える
の順番になっていました。

手順2　置き換えるクリップを選ぶ

次に「ライブラリから置き換える」か「ビデオまたは写真を撮り直す」をタップして、前ページの追加の手順と同じようにします（ここではライブラリから選んでいます）。これで、クリップを置き換えることができました。

クリップを複数選んで複製／削除する

手順1 クリップに○を表示する

今度は「選択」をタップしてみましょう。すると、クリップ左に「○（選択）」が表示されました。

手順2 クリップを選んで複製／削除する

「○（選択）」はタップすることで選択／解除され、まとめて「複製」または「削除」できます。最後に「完了」をタップすると、元の画面に戻ります。

メモ 取り消しとやり直し

iMovieを使っていると、クリップを間違って削除してしまったり、必要ないクリップを追加してしまうことがあるかもしれません。
そんなときは「⤺（取り消す）」を選ぶと、作業を1ステップずつ巻き戻すことができます。戻し過ぎた場合には「⤻（やり直す）」を選ぶことで取り消す前に戻ることができます。

SECTION キーワード▶スタイル

38 マジックムービーの スタイルを変更しよう

マジックムービーはクリップだけでなく、プロジェクトで使われるタイトルやミュージックなどの「スタイル」も変更することができます。豊富なバリエーションの中から内容に合わせたものを選ぶことで、作品はより自分らしい仕上がりになるでしょう。

スタイルを変更する

①「スタイル」をタップ

②画面が切り替わった

手順1 スタイルを編集する

プロジェクトのスタイルを別のものに変更するには、まずプロジェクトで「🗒（スタイル）」をタップして、スタイルの編集画面に切り替えます。

④「完了」をタップ

③変更したいスタイルをタップ

⑤スタイルが適用された

手順2 スタイルが変更された

次に「スタイルを選択」から好きなものをタップすると、ビューアにスタイルのプレビューが表示されます。「完了」をタップすると、変更が適用されて元の画面に戻ります。

スタイルオプション

スタイルにはそれぞれデフォルト（標準）で使われるミュージックやフォント、カラーが設定されていますが、オプションで変更することが可能です。

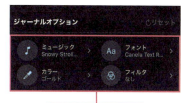

スタイルオプション

●ミュージック

BGMには、iMovieのために用意された豊富なサウンドトラックを試聴して使えます。著作権に問題がなければ「ミュージック」アプリやダウンロードした楽曲を利用することも可能です。

●フォントとカラー

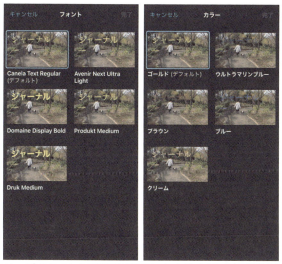

クリップのタイトルで使用するフォントやカラーは、スタイルごとにバリエーションが用意されています。

●フィルタ

フィルタを適用すると、全体が古い映画や印象的なルック（色味）になります。

●オプションのリセット

スタイルを最初に戻すには「リセット」をタップします。

SECTION　キーワード▶スタイル

39 マジックムービーの クリップを編集しよう

マジックムービーには、クリップは長さや再生速度、音量を変更したりタイトルの内容やスタイルを変更するなどの細部を仕上げるための編集機能が豊富に備わっています。ここではその中でも利用頻度の高いものを紹介していきましょう。

クリップの長さを変更する

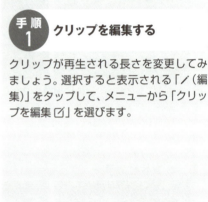

手順1 クリップを編集する

クリップが再生される長さを変更してみましょう。選択すると表示される「✏️（編集）」をタップして、メニューから「クリップを編集」を選びます。

手順2 クリップを短くする

するとタイムライン表示になり、選択されたクリップが黄色く強調表示されます。両端にあるトリミングハンドルを内側へドラッグすると、クリップが短くなります（ここでは左側を例にしました）。

 別のクリップを選択する

タイムラインをスワイプしてスクロールすると、隣のクリップが選択されます。

分割ツールでトリミングする

 手順1 分割ツールを使う

クリップをより正確に短くしたいときは「✂編集」をタップすると、クリップの中央に「分割ヘッド」が表示されます。

① 「編集」をタップ

② 「分割ヘッド」が表示された

 手順2 トリミングする

タイムラインをスクロールすると、再生ヘッドと連動してビューアの映像が切り替わります。トリミングする位置を決めたら、分割ツールから次の操作をタップして決めます。

③ タイムラインの再生ヘッド部分が表示される

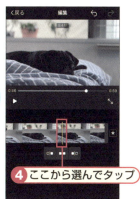
④ ここから選んでタップ

 メモ クリップを長くできない

クリップはビデオの内容以上に長くすることができません。トリミングハンドルが動かない場合は、終端まで来ていることを意味しています。

 メモ 分割ツール

分割ツールは次の3ボタンが用意されており、トリミングするとクリップの時間が短くなります。分割したときはそれぞれを独立したクリップとして編集できるようになります。

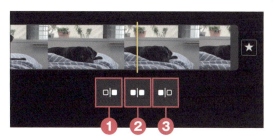

機能	ツール	説明
①開始位置からトリミング	□｜■	クリップを開始位置から再生ヘッドの間までにトリミングする
②分割	■｜■	再生ヘッドの位置でクリップを2つに分割する
③終了位置からトリミング	■｜□	クリップを終了位置から再生ヘッドの間までにトリミングする

タイトルレイアウトを追加する

 手順1 タイトルレイアウトを選ぶ

クリップにタイトルを付けてみましょう。編集画面で「あタイトル」をタップすると、タイトルレイアウトが表示されます。

 メモ タイトルレイアウトを変更する

タイトルレイアウトは何度でも変更でき、使っているスタイル（210ページ）によってレイアウトも異なります。

 手順2 タイトルが追加された

ここから使いたいものをタップすると、タイトルレイアウトが適用されます。「✕（閉じる）」ボタンをタップしてタイムラインに戻ると、タイムライン上のクリップにも「T」のマークが追加されています。

 メモ タイトルを削除する

クリップからタイトルを削除するには「フルスクリーン」のレイアウトを選びます。

タイトルテキストを編集する

 手順1 テキストの入力

今度は、タイトルに表示されるテキストを編集してみましょう。タイトル付きのクリップが選ばれている状態で「Aaテキスト」をタップすると、キーボードが表示されて文字入力ができるようになります。

音量を調整する

 →

 音量のバランスを変更する

クリップの音量を変えたいときは「◀»音量」をタップすると、クリップオーディオとサウンドトラックそれぞれのバランスを調節できます。

 バランスを確認するには

ビューアを再生すると、変更した音量をすぐに確認することができます。

シネマティックモードを調節する

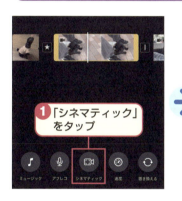 →

 被写界深度を変更する

シマティックモード（252ページ参照）で撮影したクリップは「⬚シネマティック」をタップすると、被写界深度（ピントが合っている範囲）を調整できます。

 シマティックモードをオフにする

スライダの上にある「シマティックモード」は、タップしてモードのオン/オフができます。

再生速度を調整する

 →

 速度を変更する

クリップは「⏲速度」をタップすると、2倍速から1/8スローの範囲で再生速度を調整できます。

SECTION　キーワード▶マジックムービー／ライブラリ

40 マジックムービーでショートムービーを作ろう

ここまでマジックムービーの基本的な使い方を見てきましたが、はじめてムービーを作るみなさんの中には「実際にどうすればいいのか、まだ不安」という方もいるでしょう。そこでより具体的に、マジックムービーを使った作例と手順をご紹介します。

マジックムービーを使うヒントとコツ

マジックムービーは複数のビデオから自動的にシーンを選んでショートムービーを作れるツールです。編集に関する知識はほとんど必要としませんが、次のポイントがあります。

・ビデオは**個々の長さに関係なく、3〜5秒程度**のみ使われる
・縦位置で撮った写真は**横長にクロップ（全体の一部のみを使う）** される

というルールの上に成り立っています。内容（ストーリー）よりもあくまで**雰囲気を重視**されており、縦位置で撮ることが多い**iPhoneの写真ともあまり相性がよくありません。**
制約があることは不便ですが、裏を返して**マジックムービーが苦手なことはさせない**と考えると条件は絞り込みやすくなります。そこで今回は次の項目を条件として設定しました。

①テーマは1つだけ（旅行、結婚式、成長記録など）
②クリップは15個まで、全体を1分程度に（長くしない）
③10秒以下のものを使う（使われるシーンを限定）
④シーンは、はっきりと異なる（似たものを選ばない）
⑤写真は使わない

これだけで（長めにみても）5分ほどiMovieを操作すれば、すてきなショートムービーが完成するでしょう。

ムービーを作る

①「マジックムービー」をタップ

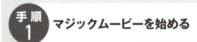

②使用するビデオを選んで「マジックムービーを作成」を選択

手順1　マジックムービーを始める

新規プロジェクトとして「マジックムービー」を選んだら、ビデオを「写真」アプリのライブラリから追加してプロジェクトを作成します。使用するビデオを選んで「マジックムービーを作成」を選択します。

手順2 クリップをアレンジする

一度全体を通して再生し、クリップの再生順が不自然（成長記録なのに時系列が明らかに逆になっているなど）な部分があれば並び替えたり、スタイルの変更などを行って全体の統一感を調整します。

メモ クリップを削除する

並び替えてもしっくりこないクリップは、無理にプロジェクトに残さず削除するのも1つの方法です。1〜2個程度であれば、全体に与える影響も多くありません。

手順3 タイトルを付ける

次に、最初のクリップにある「✂（編集）」から「クリップを編集 ☑」を選んだら「Aaテキスト」を使ってタイトルを入力します。

手順4 ショートムービーが完成した

必要に応じて「♪ミュージック」のサウンドトラックから、BGMをよりふさわしいものを選びましょう。これでショートムービーの完成です。

SECTION キーワード ▶ ストーリーボード／プレースフォルダ／ガイダンス

41 ストーリーボードを使ってみよう

SNSや動画投稿で人気のショートムービーをつくりたいなら、ストーリーボードを使ってみましょう。20種類以上のジャンルの中から用意されたテンプレートは、ストーリーの組み立て方から撮影、編集といったすべてのノウハウを学ぶことができます。

ストーリーボードとは

ストーリーボードは20種類以上のジャンル向けのテンプレートが用意されています

SNSや動画投稿サイトでは料理やDIYの手順をまとめた「ハウツー」ものや、化粧品や家電などをおすすめする「買ってよかった」シリーズ、科学実験など「やってみた」系といったジャンルのショートムービーに人気が集まっています。
その作品の中にはプロ顔負けのクオリティで、たくさんのファンが付いている人も珍しくなくなりました。

こういったジャンルのムービーは作り方に一定の法則があり、これを事前に知っていれば誰でも失敗することはありません。ストーリーボードは、この用途に特化して作られており、完成するまでのすべての工程を学ぶことができます。

ストーリーボードを使う

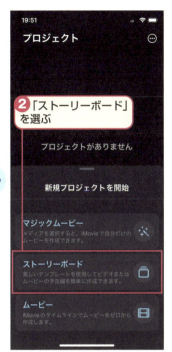

手順1　プロジェクトを作成する

まずはストーリーボードで制作するジャンルを決めましょう。プロジェクトブラウザから「新規プロジェクトを開始」をタップして、シートから「ストーリーボード」を選びます。

手順2　ジャンルを選ぶ

次に、ストーリーボードのジャンルをテンプレートから選びます。最後にスタイルを選択したら「作成」をタップします。

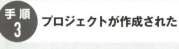
プロジェクトが作成された

これでマジックムービーのプロジェクトが作成されました。ビューアにある「❶（情報）」をタップすると、選択したプレースフォルダのガイダンス（どんな内容を何秒追加するべきか）が表示されます。

メモ　プレースフォルダ

マジックムービーのプロジェクトに配置されるクリップには、ビデオや写真が追加されていない空の「プレースフォルダ」として用意されます。

メモ　ガイダンスはあらかじめ読んでおこう

ムービーづくりに限らず、ものごとは「準備が9割」だといわれます。ストーリーボードはまさに準備に必要なガイダンスをすべて備えている強力なツールです。しかしプロジェクトを初めて使うときは、いきなりビデオや写真を追加してもうまくいきません。まず、作業を始める前に一度すべてのガイダンスに目を通しながら

・クリップはプロジェクト全体でいくつあるのか
・どんなシーンが必要なのか
・撮影で使うもの（例えば料理なら調理器具と材料など）は揃っているか

などのことを把握しておきましょう。必要であればメモを取っておくことをお勧めします。

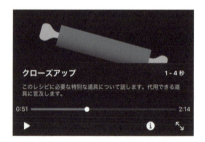

ガイダンスはクリップの内容だけでなく、ビデオを撮るべき角度や長さ、添えるコメントといったことまで多岐に渡ります。

SECTION キーワード▶ストーリーボード／収録

42 ストーリーボードで撮影してみよう

ストーリーボードで作りたいジャンルを決めたら、プロジェクトの中からビデオや写真を選択してクリップとして収録してみましょう。それぞれのプレースフォルダに用意された「ガイダンス」に従えば、ムービーづくりも簡単に進めていくことできます。

iMovieからカメラを起動する

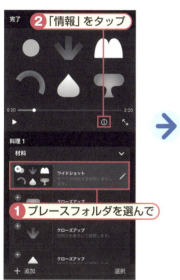

手順1 ガイダンスを確認する

ストーリーボードのプロジェクトに必要な素材を収録／撮影してみましょう。まず、プレースフォルダをタップして、ビューアの「❶（情報）」から内容・撮影時間を確認しておきます。

手順2 カメラを起動する

次にプレースフォルダから「✏（編集）」をタップして、メニューから「ビデオまたは写真を撮る」を選択します。

6 iOSでもっと「かんたん」ムービー編集

221

「iMovie」のカメラ

「写真」のカメラ

手順3 カメラが起動した

すると、画面が背面カメラに切り替わります。「カメラ」アプリと比較してみると、画面のデザインが少し異なっていることに気づくでしょう。

撮影モードの機能

iMovieのカメラ撮影モードには、次のような機能が備わっています。ここではビデオ周りの設定だけでなく、撮影の種類を「写真」にしたり、使用するカメラを前面に切り替えることもできます。

機能	説明
❶ビデオ撮影	収録するビデオの解像度とフレームレートの変更する
❷撮影の種類	撮影する種類を「ビデオ」「写真」に切り替える
❸フラッシュ	フラッシュを「自動」「オン」「オフ」から切り替える
❹倍率	撮影する画角の倍率を切り替える（機種ごとに異なります）
❺カメラ切り替え	撮影に使うカメラを「背面」「前面」に切り替える
❻収録	収録を開始する
❼キャンセル	収録せずにプロジェクトの画面に戻る

カメラで収録する

手順1 撮影を開始する

ビデオを撮るときは本体を横位置にして、画面から被写体をタップして焦点を合わせたら「●（収録）」をタップします。

手順2 撮影を終了する

すると、タイムコードが動き出して収録が始まります。ガイダンスの内容や時間を目安にタイミングを計りながら、適当なところで「●（収録完了）」をタップします。

手順3 内容を確認する

これで、収録が完了します。内容を確認したいときには「▶（再生）」をタップするか、ストリップにある再生ヘッドをドラッグして動かします。

手順4 ビデオを使用する

この収録内容で良ければ、最後に「ビデオを使用する」をタップします。

メモ：「再撮影」を使う

収録したビデオは「写真」アプリのライブラリにも追加されます。保存したくない場合には一度「再撮影」を選んでから、撮影を「キャンセル」すると良いでしょう。

 手順 5 クリップが追加された

これでプレースフォルダにクリップが収録されました。ビューアのガイダンスは「❶（情報）」でいつでも呼び出すことができるので、確認しておきましょう。

ライブラリから追加する

 手順 1 ライブラリを表示する

今度は、撮影済みのビデオや写真をプレースフォルダに追加してみましょう。まず「✏️（編集）」をタップして、メニューの「ライブラリから選択」をタップします。

 手順 2 ビデオ／写真を選ぶ

すると「写真」アプリのライブラリが表示されます。この中からビデオ/写真を1つタップすると、プレースフォルダにクリップが追加されます。

SECTION キーワード ▶ プレースフォルダ／グループ／クリップの名前を変更

43 ストーリーボードを編集してみよう

プロジェクトに配置されているプレースフォルダは、ときに、数の過不足やシーンの順番を変更したくなることもあるでしょう。これらは「テンプレート（見本となる初期配置）」であり、必要に応じてあとから自由に編集できるようになっています。

プレースフォルダの並び替え

手順1 プレースフォルダを並び替える

プロジェクトにあるプレースフォルダはマジックムービーのクリップと同じように、タッチして押さえたままドラッグすると、順番を入れ替えることができます。

❶ タッチして押さえたまま　❷ ドラッグすると動く

 グループ

プロジェクトはイントロや要約、手順といった名称でプレースフォルダがグループとしてまとまっており、その中の順番を保ったままグループ同士で並び替えることができます。

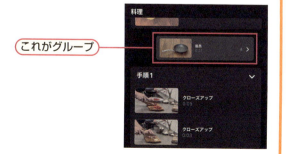
これがグループ

プレースフォルダの追加

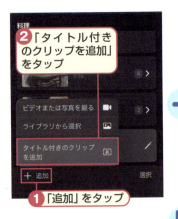
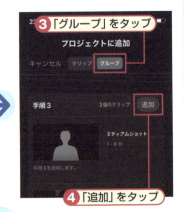

 手順1 追加ボタンをタップする

プロジェクトにプレースフォルダを追加するには「＋追加」ボタンをタップして、メニューから「タイトル付きのクリップを追加」選びます。

 手順2 グループを追加する

タブから「グループ」に切り替えたら、グループを選んで「追加」ボタンをタップします。

 手順3 プレースフォルダの複製

グループにある特定のプレースフォルダと同じものが欲しいときは「選択」をタップして、表示される「◎」と「複製」を使います。

 メモ 削除する

プレースフォルダやグループの削除も、マジックムービーのクリップと同じように行えます。これらの詳しい操作方法は230ページを参照してください。

 メモ ストーリーボードにあるそのほかの編集方法

ストーリーボードはマジックムービーと同様の方法でスタイルの変更（210ページ）や、クリップの編集（212ページ）を行うことができます。ほかにもプレースフォルダ名前を「✏（編集）」にある「クリップの名前を変更」を使って、自分がわかりやすいものに変更できます。

SECTION キーワード ▶ ストーリーボード／料理

44 ストーリーボードで料理レシピムービーを作ろう

ストーリーボードの機能で一通り学んだことを、今度は実際にやってみましょう。ここではSNSなどでも人気の投稿ジャンルである「料理」を使って、とてもシンプルで美味しいパスタの作り方をレシピムービーとして完成させます。

撮影計画を立てる

ストーリーボードで収録や編集といった作業を始める前に、プロジェクトのプレースフォルダに書かれたガイダンスを読みながら撮影に必要となるポイントを掴んでみましょう。

❶ 順序を決める

イントロは完成した料理を背景にタイトル（料理の名前など）を紹介する「表紙」の役割を果たすパートですが、盛り付け後のクリップが必要となるため撮影は一番最後になります。このようにムービーは**必ずしも撮影時系列で並んでいるわけではない**ため、手戻りを防ぐためにも事前に順序をリストアップしましょう。
今回は

1. 材料
2. 器具
3. 手順（材料を切る ➡ 炒める ➡ 茹でる ➡ 和える）
4. 完成
5. イントロ

と撮影を行うようにしました。

❷ 機材を準備する

撮影には全体を写す「ワイド」や食材や手順では「クローズアップ」が多用されています。これらのショットはスタンドもしくは卓上三脚などでiPhoneを**固定して収録**したり、ライトを使って**手元や食材を明るく見せる**とクオリティがぐっと上がります。

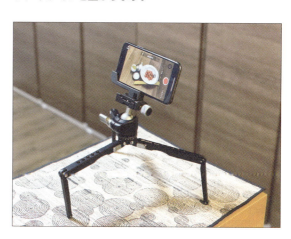

三脚は卓上タイプがあるだけでも手ぶれを防ぎ、タイマーやリモート撮影を使えば複数の作業を同時に行うこともできます。

❸ ビデオか写真か

料理レシピというジャンルは、食材や器具といった静物が被写体として多く登場します。これらは動きがあるわけではないので、**写真をクリップとして使うこともできます**。iMovieではKen Burnsエフェクトを利用できるので、ビデオだけでなく写真もクリップ候補として準備しておくと良いでしょう。

❹ ビデオは短く

ガイダンスにはクリップごとに時間の目安が示されていますが、そのほとんどは6秒以内です。視聴者は**調理のポイントを効率よく知りたい**ので、ビデオも5〜10秒程度に分けて撮影しておきます。工程を止めながら撮影することが難しい場合は、補助者をお願いしたりApple Watchを使ってリモート撮影してみましょう。

静物をiPhoneで撮影するにはポートレートモードで撮影した写真をクリップとして使うのが初心者にはおすすめです。調理の手際に自信がない時は工程を止めないようにゆっくり行い、クリップに追加したあとで速度調整すれば見栄えを良くすることもできます。

❺ リハーサルが効果的

よく行う料理だから、と油断して撮影を始めると思わぬところでうまくいかないこともあります。これを防ぐためにも一度は**仮撮影しながらリハーサルしておく**と良いでしょう。調理の手順だけでなく、紹介する材料の見せ方や盛り付けなどは実際に撮影したものをチェックすることで工夫するべきポイントが見えてきます。

ストーリーボードのクリップを作る

1 「ストーリーボード」をタップ
2 「料理」を選択

手順1 プロジェクトを作成する

まずは新規プロジェクトとして「ストーリーボード」をタップし、ジャンルの中から「料理」のテンプレートを選択します。

3 スタイルを選択して
4 プロジェクトを作成
5 「ビデオまたは写真を撮る」を選択

手順2 撮影するクリップを選ぶ

スタイルを選択してプロジェクトを作成します。次に「材料」グループの中からワイドショットのプレースフォルダを選び、サムネイル(または「✏️(編集)」)をタップして「ビデオまたは写真を撮る 🎥」を選んで撮影を行います。

6 カメラ画面に切り替わった
7 クリップが収録された

手順3 クリップを収録する

カメラに画面が切り替わったら、221ページを参考に収録を行います。最後に「ビデオを使用する」をタップすると、クリップにビデオ(もしくは写真)が追加されました。ほかのプレースフォルダも同様に繰り返していきます。

メモ 撮影済みのビデオや写真を使う

「カメラ」アプリなどで別途撮影したビデオや写真は手順2で画面に表示されるメニューから「ライブラリから選択 🖼」を選択して表示する画像を選びます。

プロジェクトを整理する

 手順1 プレースフォルダを追加する

手順などでクリップやグループが足りない場合には、226ページを参考に必要となるプレースフォルダを追加します。

 手順2 プレースフォルダを削除する

テンプレートには「要約」グループや一部のミディアムショットなど、人物を映すプレースフォルダがあります。今回は顔出しを必要としないため、これらのプレースフォルダは削除しておきます。

 プロジェクトを整理するヒントとコツ

グループは「∨」をタップすると、折りたたまれた状態（>）になりフリックして一度に削除することができます。
また、クリップの中盤は省略して使いたい場合には「複製」もしくは「分割」を使って前半2秒と後半2秒、のようにそれぞれトリミングして使うテクニックも有効です。

プロジェクトを仕上げる

1 イントロにタイトルを入力

2 手順にキャプションをつける

 手順1 テキストを追加する

テキストは「イントロ」グループのようなタイトルだけでなく、材料や手順といったクリップにもキャプション（テロップ）として入れておくとわかりやすくなります。

 メモ アフレコを追加する

キャプションによるガイドはテキストだけでなく、アフレコによる音声を用意しておくとアクセシビリティが高まります。

3 プレビューで確認して

4 長さを調整する

 手順2 クリップの長さを調整する

クリップはテキスト（もしくは音声）の内容が最後まで読めるか（1秒間に4文字程度が目安です）プレビューで確認し、必要に応じて長さを調整します。

5 音量のバランスを調整し

6 レシピムービーが完成した

 手順3 レシピムービーが完成する

最後に全体を通して再生して、音量バランスを調整しておきます。これでレシピムービーの完成です。

MEMO

7章

iMovieの応用テクニック

iMovieは「Final Cut Proの子ども」と呼ぶべき存在で、驚くほど豊富な機能を備えています。これらの使い方を覚えて編集に応用できれば、プロ向け編集ソフトをわざわざ使わなくても十分にクオリティの高い作品を生み出すことができます。

SECTION

キーワード▶写真／メディアを読み込む／ライブラリ／イベント

45 写真をiMovieで使ってみよう

プロジェクトで使うクリップはビデオでなければいけない、というルールはありません。写真を含む様々な静止画ファイルを組み合わせることで表現のアイディアは大きく広がります。ここではファイルの読み込みと管理する方法について考えてみましょう。

iMovieで写真で使うには

iMovieはビデオだけでなく、写真もプロジェクトに追加することができます。利用する方法は大きく分けると次の2つがあります。

・「写真」アプリのライブラリを使う
・iMovieのライブラリにファイルを読み込む

「写真」アプリは文字どおりデジタルカメラなどで撮影したものだけでなく、iPhone/iPadと「iCloud」で共有する機能も備えており、どのiMovieでも同じライブラリを利用できるのがメリットです。種類もほぼすべてのカメラが利用する形式がサポートされており、写真だけでなくビデオも読み込んで管理することが可能です。

豊富な編集機能を備えるだけでなく、検索やグループ化機能などのパワフルな管理機能も持ち合わせた「写真」アプリは強力で汎用性の高いツールです。

しかし便利だからといって、あらゆる画像/動画ファイルすべてをライブラリに読み込んでしまうと閲覧するときに邪魔になることもあるでしょう。

またiCloud共有を利用している場合には、ファイルすべてが同期することが足かせになるかも知れません。とくに一眼レフカメラなどで撮影した「RAW」画像や高画質のビデオなどは1回の撮影で数十GB以上になることがよくあるため、共有できるストレージ容量をあっという間に使い切ってしまいます。

そこで活用したいのが、ファイル読み込みです。この方法であればiMovieのライブラリにファイルがコピーされるため「写真」アプリには影響を与えません。利用目的が一時的、もしくはiMovieでのみ使うことがわかっている画像や動画などはこちらで管理するのがお勧めです。

 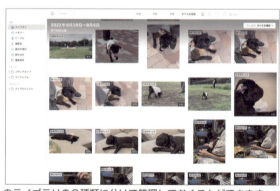

iMovieでは写真や動画といったメディアを「写真」アプリとiMovieのライブラリの2種類に分けて管理しておくことができます。

写真をiMovieライブラリに読み込む

1 「メディアを読み込む」ボタンをクリック

2 写真が追加された

手順1 外部メディアから読み込む

写真をカメラのSDカードなどから、写真を直接読み込むときは、63ページからの手順を参考に「↓(メディアを読み込む)」ボタンをクリックしてライブラリに追加します。

手順2 写真が読み込まれた

読み込みが完了すると、ブラウザの「iMovieライブラリ」イベントに写真が追加されます。

 写真以外の画像を追加・管理する

iMovieは写真だけでなく、イラストやアイコンといった画像もムービーに使うことができます。これらを一時的に読み込んで管理するときは、読み込み先として専用のイベントを作成しておくと削除したいときに便利です。

ここで切り替えまたは新規イベントを作成、イベントを分けて管理できる

SECTION キーワード ▶ Ken Burns エフェクト

46 スライドショームービーを作ってみよう

ドキュメンタリー番組など、当時の資料としてビデオがなく写真ばかり…というケースはプロの現場でもよくあります。このときに写真をまるでビデオのように扱う手法を生み出したのが映画監督「ケン・バーンズ」氏で、iMovieにはこの名を冠した機能があります。

タイムラインに写真を追加する

1 ムービープロジェクトを作成

 プロジェクトを作成する

写真を上手に使って構成されたスライドショームービーを作ってみましょう。まず新しいムービープロジェクトを作成します。

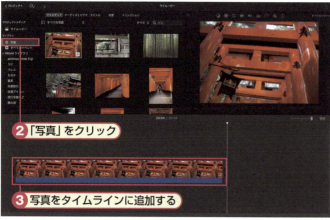

2 「写真」をクリック

3 写真をタイムラインに追加する

 写真をタイムラインに追加

次にブラウザから「写真」をクリックして、写真をタイムラインに追加します。

 表示を写真だけに絞り込む

写真だけを表示したいときはブラウザにある「すべて」を「写真」に切り替えます。

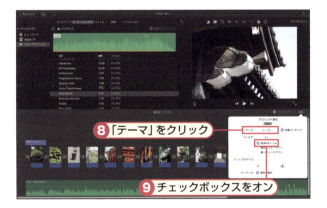

手順 3　写真を並び替える

必要な写真をすべてタイムラインに追加したら、サムネイルを見ながらクリップの順番を入れ替えて全体の印象を整えます。

手順 4　BGMを追加する

ブラウザの「オーディオとビデオ」から「サウンドエフェクト」を選び、BGMトラックに音楽をドラッグして追加します。

メモ　ジングルを絞り込む

サウンドエフェクトは表示を「iLifeサウンドエフェクト」➡「ジングル」に絞り込むとBGMを見つけやすくなります。再生時間はムービーと同じ程度のものを選ぶとよいでしょう。

手順 5　プロジェクトを設定する

最後にプロジェクト設定から、必要に応じて「テーマ」と「BGMをトリム」を設定します。ここでは「シンプル」テーマに変更してクロスディゾルブを全体に使いました。これで、スライドショームービーが大まかにできあがりました。

Ken Burnsを編集する

1 クリップを選択して
2 「クロップ」ボタンをクリック

手順1 クリップを選択する

タイムラインを再生してみると、写真はズームまたは部分的に拡大したままスクロールする効果がついています。これを編集するにはクリップを選択します。ビューアから「↔(クロップ)」ボタンをクリックします。

3 「Ken Burns」が選ばれている
4 「開始」と「終了」フレームが表示

手順2 Ken Burnsエフェクトが表示される

すると、クロップのスタイルに「Ken Burns」が選ばれているのがわかります。ビューアを見るとKen Burnsは「開始」と「終了」の位置や大きさを指定することで演出を行っていることがわかります。

5 ここで大きさを調整
6 ここで位置を調整

手順3 開始位置を編集する

Ken Burnsを編集するには、まず「開始」フレームを選択して四隅の枠の太い部分で大きさを、中央にある「+」で位置をドラッグして調整します。

 終了位置を編集する

次に「終了」フレームを選択して、先ほどと同じように位置と大きさをドラッグして調整します。最後に「 ● (適用)」ボタンをクリックして、編集を完了させます。

 選択されているフレーム

選択されているフレームは実線で囲まれ、明るく表示されます。また、枠内の左下に「開始」か「終了」が示されており、この部分をクリックすると切り替えられます。

 スライドショーを作る ヒントとコツ

このようにタイムラインに追加された写真は自動的にKen Burnsエフェクトが追加されるので、次の4種類の工程だけを覚えれば、誰でも簡単にスライドショーを作ることができます。
・写真を配置する
・順番を並び替える
・BGMを配置する
・クロップ位置を調整する
手がかかるのは位置の調整ですが、コツがあります。

●**ズーム方向を切り替える**
横位置の写真を複数枚配置すると、交互にズーム（インもしくはアウト）するように設定されます。初期配置はこれでよいのですが、順番を並び替えると連続して同じ方向にズームしてしまう箇所が出てきます。
そんなときはクロップ調整の「 (入れ替え)」で、ズームする方向を変えることができます。

●**スクロール方向を考える**
縦位置の写真は全体を表示すると左右に黒みが出るので、上下をクロップしてスクロールするように設定されています。これはグループ写真などを拡大して左右に動かしたり、横長にパノラマ撮影した写真を使うときにも便利です。

SECTION キーワード ▶ ビデオ・オーバーレイ

47 ビデオ・オーバーレイを使ってみよう

タイムラインにあるクリップに別のクリップを部分的に重ねる手法は「ビデオ・オーバーレイ」と呼ばれ、わたしたちがふだん見ているテレビ番組や映画などでも頻繁に用いられています。ここではまず代表的な「カットアウェイ」編集を使ってみましょう。

カットアウェイクリップを追加する

 手順1　クリップを上部に配置する

クリップの途中に別のビデオを重ねる「カットアウェイ」編集をしてみましょう。まず、ブラウザから新しいビデオを選んでタイムラインにあるクリップの上部までドラッグします（カットアウェイについては次のセクションで解説します）。

 手順2　カットアウェイクリップが追加された

これでカットアウェイクリップが追加されました。再生してみると、クリップが重なっている部分で場面が入れ替わっています。

 注意　カットアウェイクリップが追加されない

ドラッグしたときにタイムラインのクリップの上に重ねると、明るくハイライトされ「置き換える（または挿入する）」という別の操作になります。

カットアウェイクリップの編集

 手順 1　クリップの長さや位置を調整する

カットアウェイクリップは、ほかのクリップと同じように長さや位置を変えることができます。

 手順 2　フェードを設定する

カットアウェイの演出をクロスディゾルブ（自然に切り替え）するには、クリップの上にある「フェード」スライダをドラッグして調整します。

 手順 3　不透明度を設定する

カットアウェイのクリップに完全に入れ替えずにミックスしたいときは「不透明度」スライダをドラッグします。

 メモ　ビデオオーバーレイ設定

フェードと不透明度は、ビューアにあるビデオオーバーレイ設定からも調整することができます。

SECTION

キーワード ▶ ビデオ・オーバーレイ設定／カットアウェイ

48 ビデオ・オーバーレイを変更してみよう

ビデオ・オーバーレイはカットアウェイ以外にもピクチャ・イン・ピクチャやスプリットスクリーンといった複数クリップを表示させる方法（日本のテレビ業界では「ワイプ」と呼ばれています）があり、iMovieではいつでもこれらのタイプに変更できます。

ビデオ・オーバーレイを変更する

① クリップを選んで
② 「ビデオ・オーバーレイ設定」をクリック

③ 「ビデオ・オーバーレイスタイル」をクリック

手順1 ビデオ・オーバーレイ設定を表示する

ビデオ・オーバーレイの種類を変更してみましょう。タイムラインから接続クリップを選んで、ビューアから「□（ビデオ・オーバーレイ設定）」をクリックします（ここでは前ページのカットアウェイクリップを使っています）。

メモ 接続クリップ

カットアウェイクリップなど、タイムラインにあるクリップに同期されたものは「接続クリップ」と呼ばれます。

手順2 スタイルを変更する

次に「ビデオ・オーバーレイスタイル」メニューをクリックすると、ほかのスタイルへと変更することができます。

メモ ビデオ・オーバーレイのスタイル

ビデオ・オーバーレイには4種類のスタイルが用意されており、演出する意図に合わせて様々な使い方ができます。

カットアウェイクリップの編集

●**カットアウェイ**

同じ時間軸（もしくはシチュエーション）を異なる2つの視点で表現する場合があります。例えば結婚式で

・参列者が期待に満ちた顔で待っている
・新郎新婦が外から式場へ入るシーンに切り替わる
・参列者が笑顔で2人を出迎える

などのように、途中で短い数秒間の別シーンを重ねる演出をすることがあります。

クリップの切り替えとしてはフェードイン/アウトさせたり、不透明度を下げてミックスもできます。

●**グリーン/ブルースクリーン**

グリーン/ブルーの背景で撮影（模造紙や布シートなどでOK）した人物などを切り抜いて、クリップに合成する方法です。オプションとして切り抜きの輪郭を柔らかくしたり、エリアや色を指定してクリーンアップもできます。

●**スプリットスクリーン**

フレームを上下や左右のいずれかに分割して、両方のクリップを同時に再生する編集です。接続するクリップは画面を押し出す「スライドイン」トランジションを設定することもできます。

●**ピクチャ・イン・ピクチャ**

メインのクリップの中に小窓のようなエリアを表示して同時再生します。バラエティ番組やニュース番組などでよく目にすることが多い編集です。位置や大きさは自由に設定することができ、境界線（枠線）の色や太さも調整が可能です。また、トランジションとしてディゾルブと拡大縮小が選べるほかに、メインクリップと入れ替える演出も使えるようになっています。

SECTION

キーワード ▶ 地図と背景／ジェネレータ

49 背景を使ってみよう

プロジェクトにはビデオや写真だけでなく、付属する「背景」をクリップに追加することができます。これらはソリッド（単一）カラーだけでなくグラデーションやパターン、テクスチャを用いたものなど様々なジャンルが用意されています。

背景をブラウズする

①「背景」タブをクリック

 ブラウザで背景を表示する

ムービーの途中に背景を加えてみましょう。ブラウザから「背景」タブをクリックすると「地図と背景」が表示されます。

② クリップをスクラブすると　③ プレビューされる

 地図や背景をプレビューする

ブラウザにあるそれぞれの地図や背景は、クリップの上をスクラブするとビューアでプレビュー表示されます。このとき、地図や一部の背景はアニメーションします。

 アニメーションする背景

「カーテン」「オーガニック」「水中」「にじみ」「斜線」の5種類がアニメーションする背景として用意されています（iMovie10.3.5時点）。

背景をタイムラインに追加する

① ここにドラッグ

② 背景クリップが追加された

 手順1 背景をタイムラインにドラッグする

背景をクリップとして追加するときは、ビデオや写真と同じようにタイムラインのクリップの間にドラッグします。

 メモ ダブルクリックで追加する

ブラウザにある背景はダブルクリックすると、タイムライン上の再生ヘッド位置を始点としてクリップが挿入されます。

 手順2 背景が追加された

すると、背景がクリップ（標準では4秒）としてタイムラインに挿入されました。ほかの静止画クリップと同様に長さを変更することができます。

 便利技 背景の色を変更するには（地図）

グラデーションまたはパターンで構成された背景はタイムラインに追加したあと、クリップを選択してビューアから「🖼（ジェネレータ）」をクリックすると、カラーを変更することができます。

SECTION キーワード▶背景／タイトル

50 タイトル付き背景を作ってみよう

背景をより実践的に使いこなしてみましょう。タイムラインにクリップとして配置するときは「タイトル」などと重ねることでオープニングやエンディング、シーンの大きな転換ポイントなどをテキストを使って印象的かつわかりやすい演出ができます。

背景とタイトルを組み合わせる

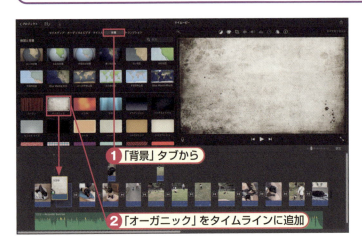

① 「背景」タブから
② 「オーガニック」をタイムラインに追加

手順1　背景を追加する

アニメーションする背景とタイトルを組み合わせたタイトルクリップをつくってみましょう。まずはブラウザの「背景」タブから「オーガニック」を選んでタイムラインに追加します。

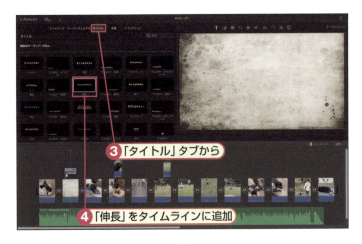

③ 「タイトル」タブから
④ 「伸長」をタイムラインに追加

手順2　タイトルを追加する

次にブラウザのタブを「タイトル」に切り替えて「伸長」を選び、オーガニックの背景にドラッグして接続します。

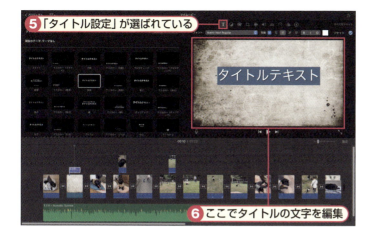

 手順 3　タイトルの文字を編集する

すると、ビューアに「T（タイトル設定）」が選ばれてタイトルの文字が編集できるようになっています。

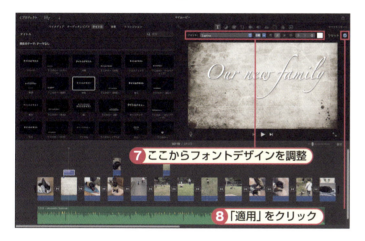

 手順 4　タイトルの書式を編集する

文字を編集したら、全体の雰囲気になじむようにフォントの種類や大きさなどの書式を調整します。よければ「●（適用）」をクリックしましょう。

 手順 5　タイトル付き背景ができた

最後にタイトル、もしくは背景クリップの長さをドラッグして揃えればタイトル付き背景の完成です。

SECTION

キーワード ▶ ビデオ・オーバーレイ

51 クリップと背景を組み合わせてみよう

背景はタイトルだけでなく、ビデオや写真クリップもオーバーレイ（278ページ）を組み合わせることができます。ちょっとしたアイディアさえ浮かべば、プロの品質に迫るデザインができるのも本書がiMovieをおすすめしたい理由の1つです。

クリップに背景を追加する

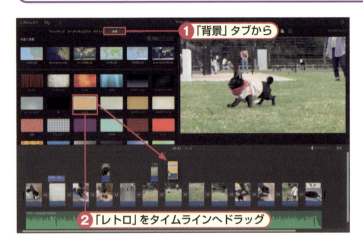

手順1　背景を接続する

ビデオ/写真クリップに背景を組み合わせてデザインしてみましょう。まずはブラウザの「背景」タブから「レトロ」を選択してタイムラインのクリップ上部へとドラッグします。

手順2　ビデオ・オーバーレイ設定ボタンをクリックする

クリップに背景が接続されました。次に背景クリップを選択して、ビューアから「（ビデオ・オーバーレイ設定）」をクリックします。

 手順3 スタイルを変更する

ビデオオーバーレイを「ピクチャ・イン・ピクチャ」に、トランジションを「入れ替え」にそれぞれスタイルを変更して「✓（適用）」をクリックすると、クリップが小さくなりながら背景に重なって再生されるようになります。

 手順4 タイトルを接続する

さらにブラウザの「タイトル」タブから「雲」を選んで、145ページを参考にクリップにタイトルを接続して文字や書式、長さなどを調整します。

 手順5 画像を調整する

タイトルのバランスが決まったら、最後にもう一度背景クリップのビデオオーバーレイ設定を呼び出し、画像の大きさや位置などのレイアウトを調整したら完成です。

メモ クリップの位置をアニメーションさせる

ピクチャ・イン・ピクチャ・クリップはムービー再生中の位置や大きさを動かすことができます。詳しい操作方法はiMovieのマニュアル「Mac上のiMovieでピクチャ・イン・ピクチャ・エフェクトを作成する」を参照してください。

SECTION

キーワード ▶ 背景と地図

52 地図を使ってみよう

旅行や出張などで、ふだんあまり行ったことのない場所や国を訪れた経験は、思い出として形に残しておく価値のあるテーマの1つです。背景として用意されている「旅行地図」をムービーに使えば、臨場感もぐっと高まります。

背景とタイトルを組み合わせる

 旅行地図をドラッグする

プロジェクトに旅行地図を追加してみましょう。まずは244ページを参考にブラウザの「背景」タブから「古い地図」を選択して、イムラインのクリップとクリップの間にドラッグします。

 旅行地図が追加された

タイムラインを再生すると、アニメーションする旅行地図が追加されています。アニメーションする速さは、クリップの再生時間に応じて変化します。

 アニメーションする地図

アニメーションに対応する旅行地図は「古い地球儀」や「水彩地図」のように地球儀もしくは地図で名前が終わります。一方で「学習用静止画」など静止画で終わるものはアニメーションしません。

旅行地図の位置を編集する

 手順1 地図の設定を表示する

今度は旅行地図が見せる場所（地域）を変えてみましょう。まずタイムラインから旅行地図クリップを選択して、ビューアから「（地図の設定）」をクリックします。

 手順2 出発地を設定する

次に「出発地」経路をクリックして、ポップアップメニューの「Q（検索）」に表示したい地域の名前を入力して絞り込み、リストから選んだら「完了」をクリックします。

便利技 リストに地域名が出てこない

地域名はすべてのエリアが登録されているわけではありません。まずは「日本」などの国名でおおまかに絞り込みましょう。また近い場所しかないときは「地図上に表示する名前」を変更します。

 手順3 地図の位置が変更された

これで地図の位置が変更されました。同じ手順で「到着地」を設定した場合は、2つの地点を線で結ぶアニメーションが追加されます。

 メモ 経路を入れ替える

出発地と到着地を入れ替えるには「入れ替え」をクリックします。

SECTION

キーワード ▶ シネマティックモード／被写界深度／深度フィールド

53 シネマティック・クリップを使ってみよう

iPhoneのシネマティックモードで撮影したムービーは、iMovieのプロジェクトにタイムラインに追加したあとでも「被写界深度」や「焦点ポイント」などを編集できるシネマティック・クリップとして使うことができます。

シネマティックモードとは

シネマティックモードはiPhone 13シリーズ以降に搭載された機能で、被写界深度（焦点が合っている範囲）が通常よりも浅いビデオを撮影できます。また撮影中にフォーカス送り（複数の人物がいるときなどに焦点を切り替えること）もできるため、文字通り「映画のような」仕上がりになります。深度と焦点はあとから変更ができるため、iMovieで使用する際にはプロジェクトごとに異なる調整ができるという優れた特性も持ち合わせています。

●被写界深度

被写界深度を浅くすると、周囲をぼかして被写体をより引き立つような撮影効果があります。

●フォーカス送り

フォーカス送りはシーンを変えずに、流れの中で焦点を切り替えてクローズアップする手法です。

被写界深度を調整する

1 ここにドラッグ

 手順1 クリップを追加する

シネマティックモードで撮影されたビデオをプロジェクトで使ってみましょう。93ページを参考にブラウザの「マイメディア」タブからビデオをタイムラインにドラッグします。

3「シネマティック」をクリック
2 クリップを選択

 手順2 シネマティックボタンをクリックする

タイムラインに置いたシネマティック・クリップを選択すると、ビューアに「🎥（シネマティック）」が表示されています。これをクリックしてみましょう。

4 チェックボックスをオンにして
5 スライダで調節

 手順3 被写界深度を調整する

すると「フィールドの深度」が表示されました。チェックボックスをオンにするとスライダでクリップの被写界深度を調整することができます。

 メモ f値とは

被写界深度の単位はf値（絞り値）で表されます。数字が小さいほど浅くボケた表現に、大きくする（絞る、ともいいます）と全体がシャープな表現に変化します。

SECTION キーワード▶シネマティックモード／シネマエディタ／焦点ポイント

54 シネマティックの焦点ポイントを編集しよう

シネマティックモードは撮影時に顔や動物、静物などを「オブジェクト」として認識し、自動または手動で焦点ポイントを作成します。シネマティック・クリップはこのポイントを自由に編集・追加することができるのが大きな特徴です。

シネマエディタを表示する

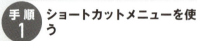 ショートカットメニューを使う

焦点ポイントを編集してみましょう。まずタイムラインのシネマティック・クリップを「⌃（コントロール）」を押しながらクリックし、ショートカットメニューから「シネマエディタを表示（⌥⌃F）」を選択します。

 シネマエディタが表示される

クリップにシネマエディタが表示されます。白い●は自動で、黄色い●は手動で追加された焦点ポイントを示しています。

 シネマエディタの表示/非表示

シネマエディタの表示は個別のクリップごと設定します。エディタを非表示にするときは、ショートカットメニューから「シネマエディタを非表示」を選択します。

焦点ポイントを変更する

 手順1 トラッキングポイントを確認する

再生ヘッドの位置をシネマティック・クリップ上でスクラブ（カーソルを左右に動かす）すると、ビューアで現在のトラッキング（焦点として追跡している）ポイントが黄色の括弧で表示されます。

 メモ トラッキングポイントが表示されない

トラッキングポイントが表示されないときは、ビューアにある「🎥（シネマティック）」をクリックして「フィールドの深度」のチェックボックスを確認します。

 手順2 変更する箇所を選ぶ

スクラブして変更したい場所を見つけたら、再生ヘッドをタイムライン上でクリックしてフレーム位置を決めます。

 手順3 焦点ポイントを変更する

ビューアでトラッキングポイント以外の部分をクリックすると、焦点ポイントが追加（または変更）されます。シネマエディタを見ると、手動焦点ポイント●が追加されているのがわかります。

焦点ポイントを編集するヒントとコツ

焦点ポイントの切り替えは、慣れないうちは難しく感じるかもしれません。iMovieには、はじめての人でも編集できるよう、いくつかの補助機能が用意されています。より詳しい操作方法やテクニックを知りたいときはiMovieのマニュアル「Mac上のiMovieでシネマティックモードのビデオクリップを調整する」を参照してください。

●自動焦点ポイントを編集する

焦点はシネマエディタで表示される「焦点ポイント」で切り替わるので、変更したつもりでも途中の焦点ポイントでずれてしまう可能性があります。
これを防ぐためにはタイムラインで自動焦点○ポイントをクリックして再生ヘッド位置を合わせ、手動焦点ポイントに上書きしてしまうとよいでしょう。

●トラッキングポイントの切り替え

トラッキングポイントは複数認識されていることがあります。このとき焦点は黄色い括弧で表示された箇所に合っており、ほかの候補は白い長方形で囲われて表示されています。このエリアをビューアの中でクリックすると、焦点をかんたんに切り替えることができます。

●トラッキングをロックする

トラッキングが選択された状態でもう一度エリアをクリックすると、クリップの中で被写体が動いても焦点を合わせ続ける「AFトラッキングロック」が設定されます。それ以外の部分では次の焦点ポイントまで固定される「AFロック」を使うこともできます。

手動焦点ポイントを削除する

1 「焦点ポイントを削除」を選択

2 手動焦点ポイントが削除された

 手順1 手動焦点ポイントを選ぶ

手動焦点ポイントを削除したいときにはまず、シネマエディタにある手動焦点ポイント●をクリックして表示される「焦点ポイントを削除」を選択します。

 手順2 手動焦点ポイントが削除される

これで手動焦点ポイントが削除され、もとの（もしくはクリップの中で1つ前にあるポイントの）焦点に戻りました。

 注意 自動焦点ポイントは削除できない

白い自動焦点ポイント●は前ページで紹介した方法で変更はできますが、削除できません。上書きした手動焦点ポイント削除したときは、自動焦点ポイントに戻ります。

自動焦点ポイントをクリックしても「削除」メニューは表示されません。

MEMO

8章

iOSでも「応用編」に挑戦

マジックムービーやストーリーボードはとても便利だけど、せっかくMacのiMovieで覚えたテクニックも生かしてみたい…。そんなリクエストに応えるために、iOS版には「ムービー」プロジェクトが用意されています。画面の見た目はもちろん、操作方法もMacのフィーリングに近くなるようにデザインされています。

SECTION キーワード▶新規プロジェクトを開始/ムービー/モーメント

55 ムービーを使ってみよう

iOSのためのiMovieには、タイムラインベースで編集ができる「ムービー」プロジェクト機能も備わっています。Mac版のiMovieやFlnal Cut ProといったNLE（ノンリニア編集）アプリの使い方に慣れている方は、今までと同じような操作感で使うことができます。

プロジェクトを作成する

手順1 ムービープロジェクトを開始する

ムービープロジェクトを作ってみましょう。まず、プロジェクトブラウザの「新規プロジェクトを開始」をタップして、シートから「ムービー」を選択します。

手順2 イメージをプレビューする

すると、メディアブラウザに切り替わって「モーメント」が表示されます。イメージ（写真やビデオ）のサムネールはタッチして押さえたままにすると、大きなサイズでプレビューされます。

メモ モーメント

モーメントは「写真」アプリのライブラリにある写真やビデオを、日付やシーンごとのグループに分けて表示してくれます。

6 サムネールをタップ

7 「チェック」マークが付いた

8 「ムービーを作成」をタップ

9 編集画面に切り替わった

手順3 イメージを選択する

使いたいイメージのサムネールはタップすると「✓（チェック）」マークが付き選択され、もう一度タップすると選択解除されます。クリップ（素材）として使いたいものたちを選びましょう。

手順4 プロジェクトが作成された

必要なクリップを選んだら、最後に「ムービーを作成」をタップします。これで「ムービー」プロジェクトの編集画面に切り替わりました。

便利技 クリップを選択するヒントとコツ

クリップとして使うイメージは、メディアブラウザから1つずつ探すよりも良い方法があります。

●モーメントを選ぶ

モーメントの横にある「選択」ボタンをタップすると、その中に含まれる写真やビデオすべてが選択されます。サムネールにはビデオを示すアイコンも付いているので、一度モーメント全体を選んでから写真だけタップして除外する、といった方法も効率的でしょう。

●あらかじめアルバムに分けておく

「写真」アプリにはビデオや写真を「アルバム」としてまとめておく機能があります。これを使って先に候補を絞り込んでおくと、メディアブラウザの「メディア」＞「アルバム」の中からクリップを選ぶことができます。

●何も選択せずにプロジェクトを作成する

クリップは後からでも追加できるので、メディアブラウザで何も選択せずに「ムービーを作成」をタップして空のプロジェクトを作ることもできます。

SECTION キーワード▶タイムライン／スクラブ

56 ムービーのタイムラインを再生しよう

プロジェクトは横に長い「タイムライン」と呼ばれるムービー編集では定番となっている表示形式で詳細な作業を行います。iOSのためのiMovieには、このタイムラインをタッチで簡単に操作できる機能が備わっています。

ムービーを再生/停止する

手順1 ムービーを再生する

プロジェクトは「▶(再生)」をタップすると、タイムラインのクリップが右から左へスクロールしながら再生が始まります。

便利技 タイムラインが表示されない

マジックムービーやストーリーボードでタイムラインを表示するには、クリップの「✏︎(編集)」を使います。

手順2 再生を止める

ムービーの再生が始まると「▶(再生)」が「❙❙(一時停止)」に変わり、もう一度タップすると停止します。

メモ 再生ボタン

再生ボタンはムービーが停止しているときは「▶」に、再生中は「❙❙」になります。

メモ 再生ヘッド

タイムラインの中央にある「再生ヘッド」は現在の位置を示しており、この上を通過するクリップがビューアに再生されています。再生ヘッド位置は固定されており、再生コントロールはボタンかタイムラインをタッチ操作して行います。

タイムラインをスクラブする

手順1 タイムラインを早送りする

今度は自分でタイムラインを動かす「スクラブ再生」をしてみましょう。再生ヘッドのあたりを右から左にフリックすると、動かしている間だけ速度に応じてクリップが再生（または早送り）されます。

メモ スクラブ再生

タイムラインを自由な速度で早送り（再生）/巻き戻しする機能はスクラブ再生と呼ばれています。これを使うことで、目的のシーンへ効率よく再生ヘッドを移動させることができます。

手順2 タイムラインを巻き戻す

同じようにタイムラインを巻き戻したい（逆再生する）ときは、左から右にフリックします。

タイムラインを拡大/縮小する

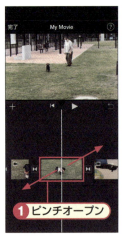
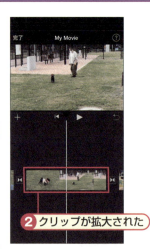

手順1　タイムラインを拡大する

スクラブでより正確な位置に再生ヘッドを合わせてたいときは、タイムラインをピンチオープンしてみましょう。すると、クリップが拡大されてより詳細に表示されるようになりました。

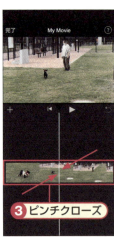
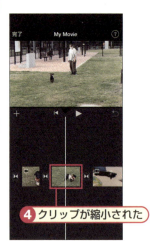

手順2　タイムラインを縮小する

逆にピンチクローズすると縮小し、タイムラインでより多くのクリップを一度に表示できます。このため、スクラブしたときにはより先（または前方）まで移動しやすくなります。

便利技　タイムラインをより広く使うには

iPhoneでiMovieを使うときに縦位置で持っていると、片手の親指だけで扱える範囲にすべてが配置されるため素早く・簡単に編集作業したいときには便利です。しかし、タイムラインに追加されるクリップが増えてくるとスクラブ再生を用いる回数が必然的に多くなります。

そんなときはiPhoneを横位置にしてみると、iMovieの画面レイアウトが変更して使いやすくなります。もっと広く使いたいときはiPadで編集するのもおすすめです。必要なクリップだけタイムラインに配置したあとにプロジェクトを共有（190ページ）すれば、引き継ぎも難しくありません。

iMovieのレイアウトは縦と横位置で画面レイアウトが最適な形に変化します。

そのほかのタイムライン操作機能

再生コントロールは、このほかにもさまざまな機能が備わっています。これらも覚えておくときっと役立つでしょう。

●タイムラインをもう一度再生する

タイムラインは最後まで再生されると、自動的に停止します（ループする設定がありません）。このときに「▶（再生）」ボタンをタップすると、プロジェクトの開始位置から再生がもう一度始まります。

 ❶「再生」ボタンをタップ

 ❷ 開始位置から再生された

●1つ前に移動（ムービープロジェクトのみ）

ビューアの下にある「◁（移動）」ボタンをタップすると、1つ前のクリップやトランジションの先頭に再生ヘッドが移動します。

 ❶「移動」ボタンをタップ

 ❷ 再生ヘッドが移動する

●開始/終了位置に移動する

プロジェクトの開始位置に再生ヘッドを移動するときはタイムラインの左側、終了位置は右側（ビデオが画面の端に接触する位置）をそれぞれタッチして押さえたままにします。

❶ 左側をタッチして開始位置へ

❷ 右側をタッチして終了位置へ

SECTION

キーワード ▶ メディアブラウザ / クリップを追加

57 ムービーにビデオを追加してみよう

ほかのプロジェクトと同様に「ムービー」はあとからビデオクリップを追加できます。操作に関する基本的な方法やテクニックなどはMac版と共通になっているので、ここでは全体の流れと機能をご紹介します（詳しくは本書の2～3章を参照してください）。

ビデオクリップを追加する

① 再生ヘッドを移動して
② 「追加」をタップ

③ メディアブラウザが表示された

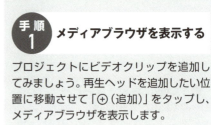

手順1　メディアブラウザを表示する

プロジェクトにビデオクリップを追加してみましょう。再生ヘッドを追加したい位置に移動させて「⊕（追加）」をタップし、メディアブラウザを表示します。

④ 「ビデオ」を選んで

⑤ クリップがリスト表示された

手順2　ビデオに絞り込む

次に「ビデオと写真」のグループから「ビデオ」を選んで、リストの中から絞り込むと、クリップがタイムライン形式でリスト表示されます（ここでは「すべて」を例に進めています）。

メモ　スワイプしてプレビュー

クリップは左右にスワイプすると、スクラブ再生ができます。

手順 3　クリップを選ぶ

クリップはタップすると、黄色い枠で囲まれて選択されます。表示されたメニューから「▶（再生）」を選ぶと、クリップ全体をプレビューします。

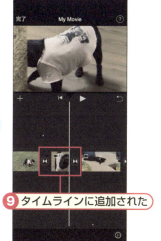

手順 4　クリップを追加する

クリップはメニューにある「⊕（追加）」をタップすると、タイムラインに追加されます。

メモ　写真ライブラリ以外からビデオを追加する

ビデオクリップは「📷カメラ」を選んで、その場で収録をしたり「📁ファイル」から別の場所に保存されたビデオをタイムラインへ追加できます。

SECTION キーワード▶移動/トリミング/削除/複製/分割

58 ムービーのビデオクリップを編集してみよう

タイムラインの操作はクリップの追加だけでなく、基本的な編集方法やテクニックなどもMac版と共通になります。ここでは前ページと同じく、編集機能の概要をご紹介します（各機能について詳しくは本書の2〜5章を参照してください）。

クリップを移動する

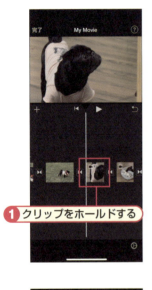

手順1 クリップをホールドする

タイムラインのクリップを移動して順番を並び替えるにまず、クリップをホールド（タッチして押さえたままに）します。すると、クリップがタイムラインから浮き上がるように外に出ます。

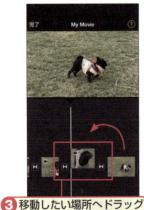
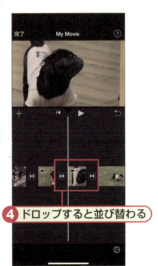

手順2 クリップをドラッグ＆ドロップする

そのまま指を離さずにドラッグすると、ほかのクリップが場所を空けてくれます。移動したい場所でドロップすれば、タイムラインの並び替えができました。

クリップをトリミングする

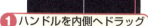

手順1 クリップを短くする

今度はクリップをトリミングしてみましょう。選択されたクリップは黄色い枠で囲まれ、左右に「トリミングハンドル」が表示されます。ハンドルを内側へドラッグすると、クリップが短くなり（部分的に使われ）ます。

手順2 クリップを長くする

トリミングして短くなったクリップは、ハンドルを外側にドラッグすることで長くできます。これでクリップが自由にトリミングできます。

メモ トリミングハンドルが動かない

クリップを長くしようとしたときにトリミングハンドルが動かない場合は、その部分が端（先頭または最後）であることを意味します。

メモ トリミングして追加する

ビデオクリップは、メディアブラウザであらかじめトリミングしてから追加できます。また、すでにプロジェクトへ配置されている部分は下部にオレンジ色のラインが引かれます。

iOSでも「応用編」に挑戦

クリップを複製/分割する

長く撮影されたビデオは複数のシーンを含むことがあり、それぞれを抜き出してプロジェクトで使いたい時はクリップを「✂（アクション）」ボタンから複製または分割して使いましょう。

● **アクションメニューの呼び出し**

ビデオクリップはタップして選択すると、画面下にボタンバーが表示されます。この中から「✂（アクション）」を選ぶとメニューが表示されます。

❶ クリップをタップして

❷「アクション」ツールを選択

● **複製**

クリップは「複製」を選ぶと、タイムラインに複製クリップ（コピーされたもの）が作られます。複製クリップは元クリップとは別の場所へ移動、編集や調整ができます。

❶「複製」を選択

❷ コピーが作成された

● **分割**

クリップの前後半を二つに分割して使いたいときは、再生ヘッドの位置を動かしてから「分割」を選択（または再生ヘッドの部分をクリップを切断するように下方向へスワイプ）します。

❶ 再生ヘッドを動かす
❷「分割」を選択

❸ クリップが分割された

クリップを複数選ぶ・複製／削除する

❶ クリップをホールドする

❷ 大きく外側へドラッグ

❸ 「削除」マークが出たらドロップ

❹ クリップが削除された

手順1　クリップを外側へドラッグする

プロジェクトで不要になったクリップを削除してみましょう。クリップをホールドしてタイムラインから浮き上がるように外に出したら、そのまま外側へ大きく上（または下）方向にドラッグします。

手順2　クリップが削除された

タイムラインから大きく離れると、クリップの隅に「（削除）」マークが表示されます。ここで指を離してドロップすると、クリップが削除されました。

メモ　「削除」アクションを使う

クリップの削除は「（アクション）」にある「削除」も使えます。

 メディアブラウザとストレージ容量

プロジェクトで使われるクリップは、メディアブラウザから追加したものは複製や分割をしてもデータは増えずデバイスのストレージにも影響を与えません。

同様にプロジェクトから削除したクリップは、いつでも再追加できます。
一方プロジェクトを読み込んだり、AirDropを使用して埋め込まれたメディアは「ビデオ」➡「iMovieメディア」に残りますが「写真」ライブラリには移りませんので注意してください。

SECTION　キーワード▶スマートサウンドトラック

59 ムービーにBGMを追加してみよう

ムービーは背景に流れるBGM（バックグラウンドミュージック）が異なるだけで、その印象は大きく変わります。iOSのためのiMovieにはAppleが選んだ150種類を超えるサウンドトラックが付属しており、これらを用いて作品の完成度を高めることができます。

サウンドトラックを追加する

1 「追加」をタップ

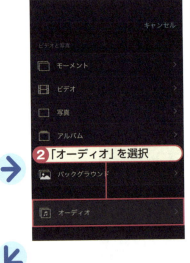
2 「オーディオ」を選択

手順1 メディアブラウザを表示する

プロジェクトにBGM（バックグラウンドミュージック）を追加してみましょう。まずnページを参考に「⊕（追加）」をタップし、メディアブラウザから「オーディオ」を選択します。

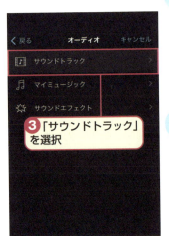
3 「サウンドトラック」を選択

4 サウンドトラックが表示された

手順2 サウンドトラックを表示する

リストの中から「サウンドトラック」を選択して絞り込むと、サウンドトラックのコレクションが表示されました。

5 タップして試聴再生/停止

6 ダウンロードが必要

 手順3 サウンドトラックを試聴する

サウンドトラックはタップすると試聴再生が始まり、もう一度タップすると停止します。曲名の左にあるアートワークに「♫（ダウンロード）」マークがあるものはタップしてダウンロードしてから再生されます（インターネット接続が必要です）。

メモ すべてをダウンロード

サウンドトラックコレクションを事前にすべてダウンロードしておきたいときは、右上にある「♫（すべてダウンロード）」をタップします。

7 「オーディオを追加」をタップ

8 サウンドトラックが追加された

 手順4 サウンドトラックが追加される

曲を決めたら「⊕（オーディオを追加）」をタップします。これでサウンドトラックがタイムラインに緑色の「バックグラウンド・ミュージック・クリップ」として追加されました。

メモ スマートサウンドトラック

iMovieに付属するサウンドトラックは、プロジェクトの長さに合わせて自動的に調整されます。メディアブラウザから別のサウンドトラックを「⊕（オーディオを追加）」で追加すると、バックグラウンド・ミュージック・クリップは新しいものに置き換わります。また、クリップを選択して「✂（アクション）」から「削除」を使うとタイムラインからBGMを消すこともできます。

SECTION

キーワード ▶ テーマ / プロジェクト設定

60 ムービーのクリップを調整してみよう

ムービーはクリップの順番や長さ、BGMを決めたら細部を調整していきましょう。ここではクリップとクリップの間に「トランジション（場面転換）」を設定したり、ビデオをより見やすくするための調整機能をご紹介します。

プロジェクト設定を変更する

1 「プロジェクト設定」をタップ

2 設定が表示された

手順1 プロジェクト設定を表示する

プロジェクトにはデフォルト（初期設定）で「シンプル」テーマが適用されています（テーマについては170ページを参照）。これを変更するには「⚙（プロジェクト設定）」をタップして、プロジェクト設定を表示します。

4 「完了」をタップ

3 ここからテーマやオプションを変更して

5 プロジェクトに適用された

手順2 プロジェクトに適用する

テーマやフィルタはMacと同じものが選べるのに加えて、iOSではテーマサウンドトラックのオン/オフが選べます。設定を変更したら最後に「完了」をタップして、プロジェクトに適用しましょう。

メモ テーマサウンドトラック

テーマにはそれぞれスマートサウンドトラックが用意されており、メディアブラウザの「🎵オーディオ」＞「🎵サウンドトラック」から試聴できます。

トランジションを調整する

 手順1 トランジションクリップを選ぶ

すべてのクリップの間には、トランジションが挿入されています。これを調整するときはまず「(▶◀トランジション)」をタップして、インスペクタを表示します。

 手順2 トランジションを変更する

トランジションは別のものを選ぶと、すぐにタイムラインへ反映されます。

 メモ 継続時間と効果音

トランジションはこのほかにも継続時間や「🔇（消音）」ボタンをタップして、サウンドエフェクト（効果音）を追加できます。

 手順3 インスペクタを閉じる

インスペクタは外側（なにもないところ）をタップすると、閉じることができます。

 メモ トランジションの削除

トランジションを設定せずにクリップの間を繋ぐときには、インスペクタから「｜なし」を選択します。

ビデオクリップの調整

タイムラインからビデオクリップを選択すると、ビューアやツールバーを使って様々な調整を行うことができます。詳細については、Mac版の解説ページまたはiMovieのマニュアル（https://support.apple.com/ja-jp/guide/imovie-iphone/welcome/ios）を参照してください。

●ズーム

ビューアにある「🔍（ズーム）」をタップすると、クリップをピンチしてズームできます。さらに表示位置をドラッグで調整すれば、画面の一部を拡大して使う「クロップ」ができます。

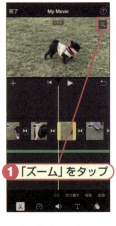
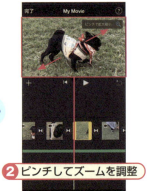

1 「ズーム」をタップ　2 ピンチしてズームを調整

●回転

ビューアの画像を2本指で時計回り（または反時計回り）にひねるように動かすと「↻（または↺）」が表示され、クリップが90°回転します。回転はもう一度ひねって180°に反転させることもできます。

1 2本指でひねると　2 90°回転する

●速度

「⏱（速度）」をタップすると、1/8から2倍まで再生速度をコントロールできます。範囲はクリップ全体だけでなく部分的に適用したり、複数の変更箇所を「追加」して調整を行えます。また再生ヘッドの位置にある1フレームをフリーズ（一時停止）させて、時間が止まったように見せる「フリーズフレーム」を作ることもできます。

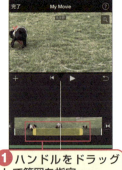
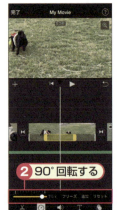

1 ハンドルをドラッグして範囲を指定　2 90°回転する

●シネマティック
シネマティック・クリップのみ利用できる機能で「⏱（速度）」を使ってフィールドの深度や焦点ポイントの編集ができます。

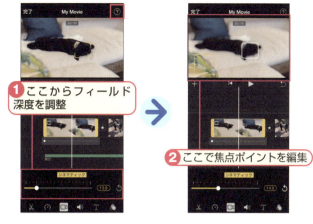

●タイトル
「T（タイトル）」をタップすると、クリップにタイトルを追加して、ビューアで編集することができます。タイトルはフォントの種類や色、テキストのシャドウやスタイルの調整といったオプションも用意されています。

●フィルタ
「🎨（フィルタ）」をタップすると、クリップに個別のフィルタを適用できます（設定はプロジェクトフィルタよりも優先されます）。

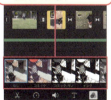
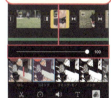

SECTION　キーワード ▶ オーバーレイ

61 ムービーにオーバーレイを追加してみよう

クリップはメインクリップに部分的に重ねて表示する「ビデオ・オーバーレイ」形式としてタイムラインに追加することもできます。ここではクリップの追加から調整までのおおまかな流れをご紹介します。

オーバーレイ・クリップを追加する

❷「追加」をタップ
❶ 再生ヘッドを移動して

❸ クリップを選択して
❹「詳細設定」を選ぶ

 手順1　追加するクリップを選ぶ

プロジェクトにオーバーレイ・クリップを追加してみましょう。再生ヘッドを追加したい位置に移動させて「⊕（追加）」をタップします。次にメディアブラウザからクリップを選択して、表示されるメニューから「･･･（詳細設定）」を選びましょう。

❺ ここからオーバーレイの種類を選ぶ

❻ オーバーレイ・クリップが追加された

 手順2　オーバーレイの種類を選ぶ

すると「形式を指定して追加…」シートが表示されるので、オーバーレイの種類を選んで追加します。タイムラインにはオーバーレイ・クリップがメインクリップに重ねて表示されています（ここではカットアウェイを例に進めます）。

 メモ　オーバーレイの種類

オーバーレイとして使える形式は「カットアウェイ」「ピクチャ・イン・ピクチャ」「スプリットスクリーン」「グリーン/ブルースクリーン」の4種類になります。

オーバーレイを調整する

　オーバーレイはメインクリップと同じく移動やトリミングができるだけでなく、ビューアやツールバーでスタイルの調整もできます。ここではオーバーレイでよく使う機能をご紹介しますが、より詳しく知りたい場合はiMovieのマニュアル「iPhoneのiMovieでビデオ・オーバーレイ・エフェクトを追加する」を参照してください。

●オーバーレイの種類を変更
プロジェクトに追加したオーバーレイ・クリップは「▱（オーバーレイ）」をタップすると、別の種類に変更できます。

●ピクチャ・イン・ピクチャの調整
ピクチャ・イン・ピクチャ・クリップはビューアの「✥（位置コントロール）」でフレームの位置や大きさや「□（枠線）」でクリップの周囲に枠線表示をオン/オフできます。

●スプリットスクリーンの調整
スプリットスクリーン・クリップはビューアの「⇄（入れ替え）」で2つのクリップの分割方向や向きを入れ替えたり「｜（線）」で境界線の表示をオン/オフできます。

SECTION　キーワード▶バックグラウンド/写真/Ken Burnsエフェクト

62 ムービーに写真や背景を追加してみよう

プロジェクトにはビデオだけでなく、写真もアニメーションするクリップとして追加することができます。タイトルを独立したクリップとして使いたいときは、メディアブラウザにある「バックグラウンド」の中から背景を選ぶこともできます。

写真を追加する

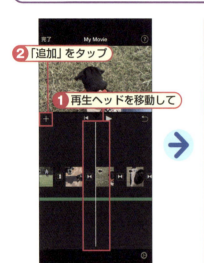

 メディアブラウザを表示する

写真をプロジェクトにクリップとして追加してみましょう。再生ヘッドを移動させて「⊕（追加）」をタップし、次にメディアブラウザから「□写真」を選択します。

 写真が追加される

写真を選んだら（ここでは「□写真」＞「すべて」を例に進めています）、表示されるメニューから「⊕（追加）」をタップしてタイムラインに追加します。

写真を調整する

① 継続時間が表示される

② ドラッグして長さを変更

③ タップして開始位置を調整

④ タップして終了位置を調整

 手順1 継続時間を変更する

写真クリップは前後にあるトランジションの長さに応じて3〜6秒程度表示されます。この継続時間はビューアでも確認でき、トリミングハンドルをドラッグすると長さを変更できます。

 メモ エフェクトをオフにする

Ken Burnsエフェクトはビューアの「🔲（オン）」をタップするとエフェクトをオフにすることができ、アイコンも「🔲（オフ）」に変わります。

 手順2 Ken Burnsエフェクトを調整する

写真クリップにはKen Burnsエフェクトが適用されています。これはビューアにある「◁（開始）」と「▷（終了）」のコントロールをタップして、それぞれの表示領域を調整できます。

 便利技 バックグラウンドを追加する

iMovieで使える静止画は写真以外にも「バックグラウンド」が用意されており、メディアブラウザにある「🎨バックグラウンド」からソリッド/グラデーション/パターンの3種類から選ぶことができます。これらはクリップとして追加すると、ビューアから「●（カラー）」を使って色を変更できます。

① ここから選んで追加

② 「カラー」で色を変更

SECTION キーワード ▶ バックグラウンド/写真/Ken Burnsエフェクト

63 ムービーにオーディオを追加してみよう

プロジェクトにはサウンドトラック（272ページ）だけでなく、サウンドエフェクト（効果音）やビデオのオーディオ部分などさまざまな録音データを扱えます。また、アフレコ機能でクリップを見ながらナレーションなどをつけることもできます。

サウンドエフェクトを追加する

 手順1 メディアブラウザを表示する

プロジェクトにサウンドエフェクトを追加してみましょう。再生ヘッドを移動させてから「＋（追加）」をタップし、メディアブラウザから「🎵 オーディオ」＞「✦ サウンドエフェクト」と選択します。

 手順2 サウンドエフェクトが追加される

すると、サウンドエフェクトのリストが表示されます。タップすると試聴再生が始まり、決定するときは「⊕（オーディオを追加）」をタップします。これでクリップの下に青色の「オーディオクリップ」として追加されました。

ビデオクリップからオーディオのみを追加する

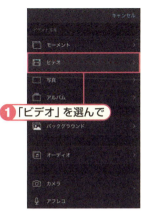

❶「ビデオ」を選んで

❷クリップを選んで「詳細設定」ボタンをタップ

 ビデオクリップを表示する

ビデオはオーディオだけをプロジェクトに追加することもできます。先ほどの手順と同じようにメディアブラウザを表示したら「ビデオ」から1つ選択し、表示されるメニューから「…（詳細設定）」をタップします。

❸「オーディオのみ」を選ぶ

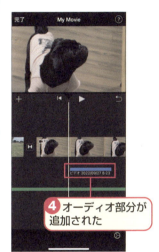

❹オーディオ部分が追加された

手順2 ビデオのオーディオが追加される

すると「形式を指定して追加…」シートが表示されるので、リストから「オーディオのみ」を選びます。これで青色の「オーディオクリップ」として追加されました。

 アフレコを追加する

メディアブラウザにある「🎤アフレコ」を選ぶと、ビューアにツールが表示されその場で音声などを録音してオーディオクリップとして追加できます。詳しい操作についてはiMovieのマニュアル「iPhoneのiMovieでオーディオを録音する」を参照してください。

❶「アフレコ」を選ぶと

❷ビューアにツールが表示される

SECTION　キーワード▶音量調整 / フェード / バックグラウンド / フォアグラウンド

64 ムービーのオーディオを編集してみよう

ムービーは見た目だけでなく、クリップごとの音量バランスや長さ、タイミングなども大切なプロジェクトの要素になります。ビデオクリップと同様にオーディオクリップも編集できる機能と使い方を知っておけば、作品のクオリティをぐっと高めることができるでしょう。

クリップの音量を調整する

手順1　クリップの音量調整を表示する

プロジェクトにあるビデオクリップの音量を変更するにはまず、選択してツールバーから「◀»（オーディオ）」をタップして音量スライダを表示します。

手順2　音量が調整される

音量スライダはドラッグして調整するか、横にある「◀»（消音）」を使ってクリップ全体のサウンドをオフ（◁）に切り替えます。

メモ　消音されたクリップ

消音されているクリップは先頭左上に「◁（消音）」マークが表示されて確認できるようになっています。

オーディオクリップの編集

オーディオクリップはビデオと同じように移動やトリミング（継続時間の変更）、分割、削除、速度の調整を行うことができます。これに加えてオーディオクリップには次のような編集機能があります。

●フェードイン/アウト

オーディオおよびバックグラウンド・ミュージック・クリップは「🔊（オーディオ）」から「フェード」をタップすると、クリップの先頭と末尾にフェードハンドルが表示されます。これをドラッグすることでフェードイン/アウトの継続時間を調整できます。

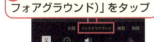

●バック/フォアグランドに移動する

バックグラウンド・ミュージック・クリップはビデオ/オーディオクリップの音を聞こえるように自動的に音量を下げる「ダッキング」が適用されます。どのクリップをバック/フォアグランドに置くかは「✂（アクション）」から「バックグラウンド」または「フォアグランド」をタップします。

●ビデオクリップから切り離す

ビデオクリップは「✂（アクション）」から「切り離す」をタップすると、クリップの下にオーディオクリップが表示されます。このクリップは親のビデオクリップとは切り離され、別に編集ができるようになります。

用語索引

●英数字

AirDrop	193,194
BGM	41,156,272
Dock	33
Facebook	181
Finder	31
HDD	65
iMovie	16
iMovieライブラリ	75
iOSのAirDrop	194
iOSのiMovie	198,260
iPhone	34,64
Ken Burns	137,188,238
Launchpad	31
Mac	47,60
ProRes	184
SSD	65
YouTube	178,181,184

●あ行

明るさ	128
アフレコ	283
合わせる	188
イコライザ	164
イベント	68
色温度	132
色補正	128
ウサギ	141
映像データ	62
エコー	151
エフェクト	54
オーガニック	152
オーディオ（の波形）	78,80,92
オーディオエフェクト	168
オーディオクリップ	285
オーディオとビデオ	156
オーバーレイ	278
オープニングタイトル	174
遅く	141

●か行

ガイダンス	221
回転	276
書き出し	45,58,178,183
カスタマイズ	39,71
カスタム	140,142
カットアウェイ	240,243
カメ	141
カメラ	65
画面切り替え効果	54
画面サイズ	133
カラーバランス	123
環境設定	187
起動	30
共有	178
切り替え効果	115
グリーン／ブルースクリーン	243
クリップ	49,103,268,284
クリップの一部分の範囲	95
クリップの拡大/縮小	77
クリップのサイズ	76
クリップの削除	106
クリップフィルタ	166
クリップを時系列順に並べる	99
クリップを追加	94
クリップを割り込ませる	100
グループ	226
クロスディゾルブ	115
クロップ	135
限定公開	186
公開	186
コンテンツライブラリ	25,26
コントラストコントロール	130

●さ行

サイズ調整してクロップ	135,188
再生	38,262
再生速度	140
再生ヘッド	263
再生ボタン	262
サイドバー	25,27,71,74
サウンドエフェクト	282
サウンドトラック	271
削除	208
サチュレーション	131
撮影モード	223
サムネイル	91
自動	123
自動コンテンツ	174

自動焦点ポイント	256	テーマBGM	158
自動補正	122	テーマサウンドトラック	274
シネマエディタ	254	テーマ専用のトランジション	174
シネマティック（モード）	252,277	テキスト	44
写真	74,234,280	デジタルカメラ	62
写真の継続時間	187	手ぶれ補正	138
写真の配置	187	動画	63
写真ライブラリ	267	トラッキングポイント	255
シャドウコントロール	129	トランジション	54,187,275
終了	33	トランジションエフェクト	115
ショートカットによる挿入	100	トランジションの削除	118
ショートカットによる範囲指定	96	トランジションの種類	119
焦点ポイント	255	トランジションの長さ（継続時間）	117
焦点を調整	151	トランジションライブラリ	120
書体	148	取り消し	209
新規ムービー	47	トリミング	269
ジングル	158	トリミングハンドル	269
ズーム	276	トリム	107
スキミング再生	88		
スキントーンバランス	127	**●な行**	
スクラップブック	172	並び替え	206
スクラブ	263	ナレーション	159
スタイル	210		
スタイルオプション	211	**●は行**	
ストーリーボード	198,219,226	背景	240,246
ストレージ容量	271	背景ノイズ	163
スプリットスクリーン	243,279	ハイライトコントロール	129
すべてのイベント	74	肌色	127
すべてのクリップ	114	バックグラウンド	281,285
スマートサウンドトラック	273	速く	141
スマートフォン	62	ピクチャ・イン・ピクチャ	102,243,279
スライダー	79	非公開	186
スライドショームービー	236	被写界深度	253
スローモーションクリップ	187	ビットレート	184
スワイプ	266	ビデオ・オーバーレイ	240,242
速度	276	ビデオカメラ	62
		ビューア	25,28,38,71,89
●た行		ファイル保存	193
タイトル	42,56,57,145,277	フィット	134
タイトル一覧	151	フィルタ	277
タイトルプリセット	153	フィルタエフェクト	175
タイムライン	25,29,71,78,103,236,263	フェードアウト	165,177,285
縦動画	36	フェードイン	165,176,285
地図	250	フォアグラウンド	285
調整バー	121	フォント	148
ツールバー	25,26	複数クリップをまとめて追加	98
停止	262	複製	270
ディゾルブ	54	不採用	114
テーマ	170	不採用を非表示	114

ブライトネス	128
ブラウザ	25,28,71,76
フリーズフレーム	140,142
フルスクリーン	72,73
フルスクリーン解除	90
フルスクリーン再生	90,200
プレースフォルダ	226
プレビュー	266
プロジェクト	83,190,192,200,260
プロジェクト画面	24,85
プロジェクト共有	190
プロジェクト設定	79,274
分割	270
分割ツール	213
編集画面	25
編集作業	93
編集モード	43
ボリューム	162,165
ホワイトバランス	126

●ま行

マーク	113
マジックムービー	34,39,198,204,212,216
マッチカラー	123
マルチスライダコントロール	128
ミュージック	41,158
ムービー	45,86,198
メール	179
メディア画面	24
メディアブラウザ	270,275,280
メニューバー	33
メモリーカード	61
モーメント	260

●や行

やり直す	209
よく使う項目	114

●ら行

レンダリングファイル	187
ローリングシャッター	139

■著者

斎賀 和彦（さいか かずひこ）

駿河台大学　メディア情報学部教授（学部長）。
元テレビCMディレクター、ハイエンド編集システムの公認トレーナーを経て、現在は大学、大学院で理論と実践を両軸とした映像クリエイティブを教える。専門は演出だが、企画、撮影、編集と可能な限り自分で行うのをモットーとしつつ、後進の指導を意識する老兵。
https://mono-logue.studio

氷川 りそな（ひかわ りそな）

なにげないバグレポートで重大インシデントを引いてしまい、家に帰してもらえないことが一度や二度ではなかった普通の会社員。頼まれるがままにApple関連の執筆を引き受けていたら、iMovieを担当はこれで6冊目となりました。人生、何があるかわからないものですね。

■モデル

木村 夏美

塩見 苺菜／華菜／瑠菜

杏

■撮影協力

abrAsus hotel Fuji

https://abrasushotel.jp

■校閲チーム

鯨井 颯太／小堀 拓海／齋藤 圭太／齋藤 虹太／佐々木 渉／佐藤 里南／鈴木 明日香／鈴木 未来／高橋 歩／松原 早紀
（五十音順）

はじめてのiMovie
Mac/iPhone/iPad対応

| 発行日 | 2022年11月25日 | 第1版第1刷 |

著　者　斎賀　和彦／氷川　りそな

発行者　斉藤　和邦
発行所　株式会社　秀和システム
　　　　〒135-0016
　　　　東京都江東区東陽2-4-2　新宮ビル2F
　　　　Tel 03-6264-3105（販売）Fax 03-6264-3094
印刷所　三松堂印刷株式会社　　　Printed in Japan

ISBN978-4-7980-6802-2 C3055

定価はカバーに表示してあります。
乱丁本・落丁本はお取りかえいたします。
本書に関するご質問については、ご質問の内容と住所、氏名、電話番号を明記のうえ、当社編集部宛FAXまたは書面にてお送りください。お電話によるご質問は受け付けておりませんのであらかじめご了承ください。